Petits *C*lassiques
LAROUSSE

Collection fondée par Félix Guirand,
Agrégé des Lettres

Claude Gueux

Victor
Hugo

Nouvelle

I0608909

Édition présentée, annotée et commentée
par David Braun,
ancien élève de l'École normale supérieure,
agrégé de lettres modernes

Direction de la collection : Carine GIRAC-MARINIER

Direction éditoriale : Claude NIMMO

Édition : Marie-Hélène CHRISTENSEN

Lecture-correction : service lecture-correction LAROUSSE

Direction artistique : Uli MEINDL

Couverture et maquette intérieure : Serge CORTESI,
Sophie RIVOIRE, Uli MEINDL

Mise en page : Monique BARNAUD, JOUVE, SARAN

Responsable de fabrication : Marlène DELBEKEN

SOMMAIRE

Avant d'aborder l'œuvre

19   Claude Gueux

Victor Hugo

70   Avez-vous bien lu ?

Pour approfondir

AVANT D'ABORDER
L'ŒUVRE

AVANT L'ŒUVRE D'ABORDER L'ŒUVRE

Fiche d'identité de l'auteur

Victor Hugo

Naissance : le 26 février 1802, à Besançon.

Nom : Victor Hugo.

Famille : fils d'un général d'Empire et d'une monarchiste convaincue. Mari d'Adèle Foucher. Père de cinq enfants. Progéniture au destin tragique : Léopold meurt à moins de 1 an, Léopoldine se noie à 19 ans, Adèle est internée à l'asile. Amant de Juliette Drouet. Grand-père comblé (il publie *L'Art d'être grand-père* en 1877).

Arts : écrit très tôt des poèmes, devient poète (*Les Orientales*, 1829 ; *Les Contemplations*, 1856…) et chef de file du romantisme, mouvement littéraire préférant à la raison l'expression du moi, des sentiments et du rêve. Dramaturge, avec *Hernani* au Théâtre-Français (1830) : le romantisme livre bataille au classicisme. Romancier, auteur de grandes fresques sociales ou historiques : *Notre-Dame de Paris* (1831), *Les Misérables* (1862), *Quatrevingt-treize* (1874)… Peintre et dessinateur : gravures et eaux-fortes saisissantes, d'inspiration fantastique et empreintes de spiritisme.

Politique : convictions passionnées défendues aussi bien dans son œuvre qu'au cours de sa carrière politique ; il est profondément hostile à la peine de mort, pourfendeur de la misère, fervent défenseur de l'éducation, de l'égalité entre les hommes et les femmes ou encore de la création d'États-Unis d'Europe. Fidélités successives en politique : d'abord monarchiste, légitimiste puis orléaniste ; bonapartiste puis très hostile à Napoléon III ; durant son exil, il devient républicain. Différents mandats exercés : maire, député, sénateur…

Gloire : en 1870, retour triomphal en France après son exil. L'écrivain est adulé. L'homme politique défend sans relâche la cause du peuple (des insurgés de la Commune, notamment).

Mort : Victor Hugo meurt le 22 mai 1885. Il a droit à des funérailles nationales. Plus de deux millions de personnes assistent à ses obsèques.

Pour ou contre

Victor Hugo

Pour

Charles BAUDELAIRE :

« Victor Hugo représentait celui vers qui chacun se tourne pour demander le mot d'ordre. Jamais royauté ne fut plus légitime, plus naturelle, plus acclamée par la reconnaissance, plus confirmée par l'impuissance de la rébellion. »

Réflexions sur quelques-uns de mes contemporains in *L'Art romantique*, 1869.

Émile ZOLA :

« Victor Hugo a été ma jeunesse. Je me souviens de ce que je lui dois. Il n'y a plus de discussion possible en un pareil jour, toutes les mains doivent s'unir, tous les écrivains français doivent se lever pour honorer un maître et pour affirmer l'absolu triomphe du génie littéraire. »

Lettre à Georges Hugo, 22 mai 1885 à l'occasion de la mort de Victor Hugo.

Contre

Remy de GOURMONT :

« Victor Hugo ne fut pas un poète mais un orateur. [...] Je voudrais qu'on ne fît pas de lui le type-même du poète. Il est autre chose, quelque chose de plus grand peut-être mais de moins humain. Il fait peur, il n'émeut pas. Il terrasse, il ne trouble pas. »

Brefs Conseils à un journaliste touchant Victor Hugo in *Épilogues*, deuxième série, Mercure de France, 1904.

« Ni l'un ni l'autre, mon cher confrère. Ni -phile ni -phobe. Je n'ai pas un grand amour pour Victor Hugo mais j'ai pour lui une grande admiration. [...] Si sa pensée n'avait pas été un peu courte, et sa sensibilité un peu élémentaire, il eût été sans doute le poète parfait. »

Réponse à une enquête : êtes-vous Hugophile ou Hugophobe ? 8 février 1902.

Repères chronologiques

Vie et œuvre de Victor Hugo

1802
Naissance de Victor Hugo le 26 février.

1807-1811
Nombreux voyages à Naples et en Espagne.

1821
Mort de sa mère.

1822
Mariage avec Adèle Foucher.

1823
Naissance en juillet de son fils Léopold, qui meurt trois mois plus tard.

1824
Naissance de sa fille Léopoldine.

1826
Naissance de son fils Charles.

1828
Mort de son père.
Naissance de son fils François-Victor.

1829
Le Dernier Jour d'un condamné, roman.

1830
Bataille d'*Hernani*.
Naissance de sa fille Adèle.

1831
Notre-Dame de Paris, roman.

1834
Claude Gueux, nouvelle.

1838
Ruy Blas, pièce de théâtre.

1839
Obtient la grâce de Barbès, condamné à mort.

1843
Mort de Léopoldine par noyade.

Événements politiques et culturels

1804
Sacre de l'empereur Napoléon Bonaparte.
Promulgation du Code civil.

1805
Victoire à Austerlitz.
Défaite à Trafalgar.

1810
Promulgation du Code pénal.

1815
Défaite de Waterloo. Seconde Restauration. Règne de Louis XVIII (1815-1824).

1822
Exécution des quatre sergents de La Rochelle.

1824-1830
Règne de Charles X.

1830
Lamartine, *Ode contre la peine de mort*.
Monarchie de Juillet.
Règne de Louis-Philippe.
Liberté de la presse.
Stendhal, *Le Rouge et le Noir*.

1831
Delacroix, *La Liberté guidant le peuple* (tableau).

1832
Procès et exécution de Claude Gueux à Troyes.

1833
Loi Guizot rendant l'enseignement primaire obligatoire.

1834
Restrictions de la liberté de la presse.

1837
Balzac, *Illusions perdues*.

1844
Dumas, *Les Trois Mousquetaires*.

Vie et œuvre de Victor Hugo	Événements politiques et culturels
1848 Élu maire du VIIIᵉ arrondissement de Paris puis député conservateur à l'Assemblée constituante.	**1848** Louis Napoléon Bonaparte élu président de la IIᵉ République. Abolition de la peine de mort en matière politique. Marx et Engels, *Manifeste du parti communiste*.
1849 Élu député à l'Assemblée législative.	
1851 Expulsion du territoire français par décret. Départ pour Bruxelles.	**1851** Coup d'État de Louis Napoléon Bonaparte, le 2 décembre.
1852 Proscrit, Hugo s'installe à Jersey. *Napoléon le Petit*, pamphlet.	**1852** Louis Napoléon Bonaparte devient l'empereur Napoléon III.
1853 *Les Châtiments*, poèmes.	**1854** Exécution de Tapner (Hugo avait demandé sa grâce).
1855 Installation à Guernesey.	**1857** Baudelaire, *Les Fleurs du mal*.
1856 *Les Contemplations*, poèmes.	**1859** Aux États-Unis, exécution de John Brown, fervent opposant à l'esclavage.
1859 *Aux États-Unis d'Amérique*, essai qui défend John Brown.	**1865** Abolition de l'esclavage aux États-Unis.
1862 *Les Misérables*, roman.	**1870** Guerre contre la Prusse. Défaite de Sedan. Abdication de Napoléon III.
1868 Mort de sa femme.	**1870** IIIᵉ République (jusqu'en 1940).
1869 Naissance de ses petits-enfants Georges puis Jeanne.	**1871** Commune de Paris. Répression sanglante.
1870 Retour triomphal à Paris.	**1880-1882** Lois de Jules Ferry sur l'école (école primaire laïque et enseignement obligatoire).
1871 Député à l'Assemblée nationale. Mort de Charles.	**1885** Zola, *Germinal*.
1872 Internement d'Adèle en hôpital psychiatrique.	
1876 Élu sénateur.	
1885 Mort et funérailles nationales.	

Fiche d'identité de l'œuvre

Claude Gueux

Auteur : Victor Hugo à 32 ans.

Genre : nouvelle.

Forme : proche de la fable ou de la parabole.

Structure : récit édifiant conduisant en conclusion à un discours de nature politique.

Principaux personnages :

— Claude Gueux, 36 ans, est un « pauvre ouvrier » qui devient voleur, prisonnier, assassin et condamné à mort. C'est un homme digne, austère, pudique et taciturne, qui sait aussi se montrer brillant orateur quand il le faut. De sa présence silencieuse émane une autorité naturelle qui lui vaut le respect des autres détenus. Sous la plume de Hugo, cet assassin devient martyr et figure christique.

— M. D., directeur de l'atelier de la prison, a, lui, un esprit étroit et mesquin. C'est un petit chef entêté et haineux, détesté par les prisonniers. Il est férocement jaloux de Claude Gueux.

— Albin est un détenu âgé de 20 ans. Timide et généreux, il propose à Claude, qui a un gros appétit, de partager quotidiennement sa ration de pain avec lui. Claude et lui deviennent des compagnons inséparables.

Sujet : vers le milieu des années 1820, Claude Gueux est contraint de voler pour nourrir femme et enfant. Il est arrêté et incarcéré à la prison de Clairvaux. Là, il exerce un ascendant naturel sur les autres prisonniers qui admirent sa gravité et sa dignité. Il se lie aussi d'une profonde amitié avec le jeune détenu Albin. Mais M. D., le directeur d'atelier, qui voue à Claude une jalousie haineuse, le sépare arbitrairement d'Albin. Claude est bouleversé. Sans la moindre agressivité, il tente de convaincre M. D. de lui rendre son ami. Mais rien n'y fait. M. D. reste campé sur sa position et ne fournit aucune explication. Claude mûrit alors un projet : tuer le directeur d'atelier à coups de hache.

Pour ou contre
Claude Gueux ?

Pour

Robert BADINTER :

« Le plus grand écrivain du siècle aura été le premier des abolitionnistes. Il a donné à la lutte contre la peine capitale un souffle, des accents qui ont traversé le temps. La liberté a eu Mirabeau, le socialisme Jaurès, l'abolition Victor Hugo. Sa voix résonne encore en nous, vingt ans après que son vœu, sa prédiction, a triomphé. Notre gratitude est à la mesure de son œuvre : immense. »

Vingtième anniversaire de l'abolition, Bibliothèque nationale, 12 septembre 2001.

Contre

Maurice BARRÈS :

« Hugo a écrit que l'assassin, c'était un être trop neuf, une matière humaine toute neuve, non façonnée, qui n'avait pas profité des avantages accumulés de la civilisation [...] Pour ma part, je demande que l'on continue à nous débarrasser de ces dégradés, de ces dégénérés, dans les conditions légales d'aujourd'hui. »

Le débat de 1908 à la Chambre des députés, séance du 3 juillet 1908.

Pour mieux lire l'œuvre

❖ Au temps de Victor Hugo

Vie politique

Dans la prison de Clairvaux, le 7 novembre 1831, un jeune homme tue à coups de hache le directeur d'atelier. L'affaire fait grand bruit. L'opinion publique suit le procès du criminel avec passion. La cour d'assises de Troyes condamne Claude Gueux à la décapitation. Deux ans plus tard, Hugo adapte le fait divers dans une nouvelle à laquelle il donne pour titre le nom du condamné. L'auteur fait de lui non un « monstre », comme l'affirme le président qui juge l'assassin, mais la victime d'une « société mal faite », voire un martyr.

En ce début de l'ère industrielle, la presse se développe rapidement. Le fait divers devient une source d'inspiration pour bien des écrivains. Il agit en effet comme un révélateur des zones d'ombre d'une société. Ainsi, la *Gazette des Tribunaux* fournit à Hugo la plupart des informations qu'il retraite dans *Claude Gueux*. Et c'est dans la *Revue de Paris* que la nouvelle paraît pour la première fois, le 6 juillet 1834. Mais l'auteur ne se contente pas d'observer la part obscure de la société. Il délivre un message politique.

Au moment de l'affaire, Victor Hugo est un écrivain reconnu. En 1829, il a publié *Le Dernier Jour d'un condamné*, qui est déjà un réquisitoire saisissant contre la peine de mort, et en 1831 *Notre-Dame de Paris*, son premier roman historique. Hugo est aussi un dramaturge au sommet de sa gloire. Le 25 février 1830, le Théâtre-Français a présenté sa pièce *Hernani*. Les représentations ont provoqué quatre mois durant de violents affrontements entre classiques et romantiques, dont Hugo est devenu le fer de lance. Il défend le mélange des genres, la combinaison du noble et du trivial, du sublime et du grotesque. Il aspire à un « art élitaire pour tous », qui serait destiné aussi bien aux classes cultivées qu'aux couches populaires. Ce combat esthétique du romantisme se présente donc aussi comme un combat politique. De fait, la bataille d'*Hernani* sert en quelque sorte de répétition générale aux « Trois Glorieuses ». Ces trois jours d'émeute populaire, du 27 au 29 juillet 1830, provoqués par la suspension de la liberté de la presse, conduisent à l'abdication du roi Charles X. En 1830, Louis-Philippe monte sur le trône. Victor Hugo devient son confident. L'écrivain va être choyé par le régime en place, la monarchie de Juillet.

Après trois échecs successifs, le voilà reçu à l'Académie française en 1841, et Louis-Philippe le nomme pair de France en 1845. Hugo s'engage de plus en plus passionnément dans la vie publique. Monarchiste à l'origine, il se convertit progressivement à la démocratie. Il soutient Louis Napoléon Bonaparte par fidélité au nom de son oncle illustre. Après l'élection de celui-ci à la présidence de la République en décembre 1848, Hugo devient maire du VIIIe arrondissement de Paris et député conservateur. Mais il réprouve de plus en plus ouvertement un gouvernement qu'il trouve réactionnaire et autoritaire, et se désolidarise de la répression sanglante des émeutes ouvrières de 1848. En 1849, il prononce à l'Assemblée un discours sur la misère. Son combat contre la violence d'État, qu'illustre notamment la peine de mort, se trouve dès lors lié à sa lutte contre l'ignorance et la pauvreté. Lorsque, à la suite du coup d'État du 2 décembre 1851, Louis Napoléon Bonaparte devient l'empereur Napoléon III, Hugo prend le chemin de l'exil et publie en 1852 un pamphlet contre celui qu'il considère désormais comme un tyran et qu'il appelle avec mépris « Napoléon le Petit ».

Il faut dire que l'ombre de Napoléon Ier plane sur Hugo depuis l'enfance. L'écrivain est en effet le fils d'un général d'Empire. Et *Claude Gueux* n'hésite pas à recourir à un souvenir intime : l'un des séjours qu'il a effectués enfant en Espagne pour suivre les affectations militaires de son père. L'auteur compare l'appétit de son personnage principal à celui de M. de Cotadilla qui commandait alors son escorte. L'anecdote plaisante masque cependant un souvenir traumatisant : sur le chemin du retour, à Burgos, en 1811, alors que l'armée napo-

Pour mieux lire l'œuvre

léonienne réprime violemment les Espagnols, Victor Hugo âgé de neuf ans assiste avec horreur à l'exécution d'un condamné.

Napoléon se révèle par ailleurs être le modèle autoproclamé du directeur d'atelier assassiné par Claude Gueux. L'homme est si « fier d'être tenace » qu'il se compare en effet au prestigieux empereur. La comparaison est cependant loin d'être à l'avantage du directeur « tyrannique » et sans envergure que Hugo désigne simplement M. D. Pour dissimuler son entêtement et sa bêtise, le petit chef s'abrite derrière le règlement, la loi et le Code pénal, justement créé pendant l'Empire. Ainsi, dans son combat contre la peine de mort, Hugo soutient son argumentation en faveur d'une réforme de la justice par ce portrait au vitriol d'un dangereux imbécile qui incarne l'autorité « officielle ». Sous la plume de l'écrivain, la victime de Claude Gueux devient le symbole d'une conception de la justice et de l'autorité qu'il est urgent de dépasser.

L'engagement contre la peine de mort

Or, il s'avère que depuis la Révolution, un mouvement de restriction des peines s'est engagé. En 1791, l'Assemblée abolit la torture pour l'exécution de la peine capitale : désormais, grâce à l'invention de la guillotine, « tout condamné à mort aura la tête tranchée ». Elle restreint en outre les motifs d'application de la peine de mort qui pouvait jusqu'alors punir un simple vol ou un attentat aux bonnes mœurs. Sous l'Empire, Napoléon rétablit le droit de grâce qu'avait supprimé la législation révolutionnaire. Certes, en 1825, la peine de mort est rétablie contre les auteurs de sacrilège. Mais le 28 avril 1832, une modification du Code pénal généralise à tous les crimes la possibilité d'accorder des circonstances atténuantes et supprime onze cas passibles de la peine de mort. Le 1er juin de la même année, Claude Gueux est décapité.

L'engagement abolitionniste de Hugo s'inscrit dès lors dans la lutte contre les peines infamantes et afflictives. Ces résidus d'une justice moyenâgeuse sont sur la sellette : ainsi, le pilori est aboli en 1832.

Hugo pourfend le principe de l'exécution publique. Selon ses défenseurs, le spectacle de l'exécution aurait pour effet de dissuader d'éventuels criminels de passer à l'acte. Hugo montre dans *Claude Gueux* qu'une telle mise en scène morbide flatte au contraire les bas instincts de la foule en exacerbant sa propension à la violence. À la fin de la nouvelle, l'auteur s'appuie sur une autre actualité : la disparition récente de la flétrissure[1] – dont le caractère infamant était lié au fait que le marquage au fer s'effectuait sur la place publique – pour réclamer logiquement la fin de ces autres infamies que sont le bagne et la peine de mort.

Ce combat-là, Hugo le livre dans son œuvre littéraire avant de le faire sur la scène publique. Le premier condamné en faveur duquel l'écrivain interviendra publiquement est Armand Barbès, en 1839, dix ans après *Le Dernier Jour d'un condamné*.

Les moyens littéraires

Comment mettre en œuvre des moyens littéraires pour transmettre un message politique ? Tout d'abord, Hugo s'extrait de la dimension purement journalistique du fait divers et se place sur le plan des principes. Ainsi, volontairement, l'auteur ne précise pas le motif de la condamnation du personnage du *Dernier Jour d'un condamné*, de même qu'il évacue l'objet du délit qui conduit Claude Gueux en prison. Ensuite, Hugo adopte pour son récit le point de vue qu'il estime le plus saisissant. Dans *Le Dernier Jour d'un condamné*, Hugo imagine le journal que tiendrait l'homme les jours précédant son exécution. L'auteur distille ainsi ses arguments contre la peine capitale au sein d'une narration qui fait éprouver au lecteur au jour le jour les sensations, l'angoisse d'un condamné qui va être guillotiné. Deux ans après, à l'occasion de l'exécution de Claude Gueux, Hugo choisit une autre prise de parole singulière : le discours à l'Assemblée d'un citoyen anonyme imaginaire. Il s'agit de convaincre les députés

---

1. **Flétrissure :** marque au fer rouge sur le corps des bagnards.

Pour mieux lire l'œuvre

d'abolir la peine de mort, de réformer la justice, de combattre la misère et de prendre des mesures radicales en faveur de l'éducation. Lorsque Hugo rédige *Claude Gueux*, il y intègre des extraits de ce discours remanié et fait ainsi de la fiction inspirée d'un fait divers une véritable tribune politique.

Il y a chez Hugo, jusque dans ce court texte, une maîtrise impressionnante de la rhétorique et un emploi passionné des figures de style destinées à frapper l'âme du lecteur. L'écriture est portée par un souffle puissant. Le narrateur rythme sa prose, n'hésitant pas à intervenir pour lancer « Poursuivons » ou « Abrégeons ». Il prend le lecteur à partie, lui pose des questions, le rend partenaire indispensable de l'œuvre afin d'en faire un citoyen éclairé. Enfin, il manie avec grâce l'art de passer du concret à l'abstrait. Il décrit le visage du personnage éponyme et en conclut : « C'était une belle tête. On verra ce que la société en a fait. » À plusieurs reprises, l'écrivain évoque aussi bien la tête charnelle de Claude, vouée à être tranchée, que sa tête, au sens intellectuel du mot, cette « noble et intelligente tête » qui ne demandait qu'à être éduquée. La toute fin du texte joue sur ces deux sens, propre et figuré : les députés sont sommés de ne plus couper les têtes mais de les cultiver. Hugo parvient ainsi à donner à son œuvre une dimension tout à la fois politique et poétique.

Aussi, lorsque le négociant Carlier découvre *Claude Gueux* dans la *Revue de Paris*, il est bouleversé. Il écrit à la revue pour qu'elle envoie à ses frais des tirés à part du texte aux premiers intéressés. Le 6 septembre 1834, *Claude Gueux* est adressé à tous les députés.

✎ L'essentiel

Le fait divers qui inspire Victor Hugo lui permet d'exposer ses convictions politiques : abolition de la peine de mort et des peines infamantes, lutte contre la misère et en faveur de l'éducation. Ces thèmes se retrouvent tout au long de son parcours politique et littéraire.

Pour mieux lire l'œuvre

❖ L'œuvre aujourd'hui

La peine de mort a été abolie en France il y a trente ans. La lecture de *Claude Gueux* nous replonge à une époque où elle était encore en vigueur, à une époque où la guillotine était considérée comme un progrès dans la mesure où elle réduisait les souffrances du condamné. Sa lecture nous permet en outre de saisir certains des arguments qui ont conduit à l'abolition de la peine capitale. C'est une lecture d'autant plus précieuse que les lois ne sont pas immuables.

Mais *Claude Gueux* ne se réduit pas à un réquisitoire contre la peine de mort. Il offre une réflexion plus globale sur les causes d'un délit et d'un crime, le sens de la peine, les abus de la justice. La nouvelle, qui s'inscrit dans une société répressive, s'attaque aux causes sociales d'un vol et d'un meurtre. De nos jours, le thème de l'insécurité agite la scène publique. *Claude Gueux* aide le lecteur à se situer dans ce débat entre prévention et répression. D'ailleurs, le texte de Hugo nourrit la réflexion sur des thèmes qui résonnent particulièrement avec l'actualité : les liens entre misère et délinquance, le rôle de l'éducation ou encore la fonction de la religion dans la société.

Certes, le contexte historique est différent, mais l'analyse de la société proposée par Hugo conserve toute son acuité aujourd'hui. Ainsi, pour ce qui relève des peines infamantes contre lesquelles s'élève l'auteur, bien qu'elles aient disparu depuis longtemps, il est possible de voir dans l'acharnement de l'opinion sur certains justiciables jetés en pâture aux médias un avatar moderne de la « vindicte publique ». Les châtiments corporels sont désormais illégaux mais ils ont été probablement remplacés par des tortures psychologiques plus insidieuses. Dans *Claude Gueux*, Hugo invite les députés à reconsidérer la provocation morale. Ce combat-là n'est sans doute pas prêt de prendre fin, même si le harcèlement moral est désormais puni par la loi.

17

Pour mieux lire l'œuvre

Or, sur ces thèmes, la médiatisation forcenée dans laquelle nous vivons privilégie le sensationnel et l'émotionnel à la réflexion. *Claude Gueux* s'appuie sur des ressorts puissamment émotionnels mais c'est pour mieux faire appel à la raison et au discernement du lecteur.

Enfin, relire cette œuvre aujourd'hui permet d'apprécier l'engagement d'un homme public doublé d'un poète qui a mis la littérature au service de ses idées sans renoncer au plaisir esthétique qu'elle procure. Certes, Hugo est un écrivain d'une envergure exceptionnelle. Il est aussi issu d'une époque où littérature et politique faisaient meilleur ménage qu'elles ne le font aujourd'hui. Châteaubriand, que Hugo rêvait d'égaler, comme Lamartine, autre grand poète romantique, ont exercé eux aussi des fonctions politiques. D'ailleurs, la fin du XIXe siècle voit la confirmation de figure de l'écrivain engagé avec Emile Zola et son célèbre article *J'accuse* qui prend la défense du capitaine Dreyfus. Une telle flamme n'est guère plus que vacillante aujourd'hui. *Claude Gueux* suscitera-t-il des vocations ?

✎ L'essentiel

Au-delà de la question de la peine de mort, *Claude Gueux* propose une analyse de la société qui permet de saisir nombre d'enjeux qui structurent le débat public d'aujourd'hui. Il est également éclairant de constater qu'il est possible de défendre une thèse politique sans renoncer au plaisir littéraire.

Claude Gueux

Victor
Hugo

Nouvelle

Claude Gueux

Il y a sept ou huit ans, un homme nommé Claude Gueux, pauvre ouvrier, vivait à Paris. Il avait avec lui une fille qui était sa maîtresse, et un enfant de cette fille. Je dis les choses comme elles sont, laissant le lecteur ramasser les moralités à mesure que les faits les sèment sur leur chemin. L'ouvrier était capable, habile, intelligent, fort maltraité par l'éducation, fort bien traité par la nature, ne sachant pas lire et sachant penser. Un hiver, l'ouvrage manqua. Pas de feu ni de pain dans le galetas[1]. L'homme, la fille et l'enfant eurent froid et faim. L'homme vola. Je ne sais ce qu'il vola, je ne sais où il vola. Ce que je sais, c'est que de ce vol il résulta trois jours de pain et de feu pour la femme et pour l'enfant, et cinq ans de prison pour l'homme.

L'homme fut envoyé faire son temps à la maison centrale[2] de Clairvaux. Clairvaux, abbaye dont on a fait une bastille[3], cellule dont on a fait un cabanon, autel dont on a fait un pilori[4]. Quand nous parlons de progrès, c'est ainsi que certaines gens le comprennent et l'exécutent. Voilà la chose qu'ils mettent sous notre mot.

Poursuivons.

Arrivé là, on le mit dans un cachot pour la nuit, et dans un atelier pour le jour. Ce n'est pas l'atelier que je blâme.

Claude Gueux, honnête ouvrier naguère[5], voleur désormais, était une figure digne et grave. Il avait le front haut, déjà ridé quoique jeune encore, quelques cheveux gris perdus dans les touffes noires, l'œil doux et fort puissamment enfoncé sous une arcade sourcilière bien modelée, les narines ouvertes, le menton avancé, la lèvre dédaigneuse[6]. C'était une belle tête. On va voir ce que la société en a fait.

---

1. **Galetas :** logement misérable.
2. **Maison centrale :** prison où sont incarcérés les condamnés à de longues peines et les détenus les plus difficiles.
3. **Bastille :** prison fortifiée.
4. **Pilori :** dispositif destiné à exposer publiquement un condamné. Cette peine infamante est abolie en France depuis 1832.
5. **Naguère :** il n'y a guère, il y a peu de temps.
6. **Dédaigneuse :** hautaine, supérieure.

Il avait la parole rare, le geste peu fréquent, quelque chose d'impérieux[1] dans toute sa personne et qui se faisait obéir, l'air pensif, sérieux plutôt que souffrant. Il avait pourtant bien souffert.

Dans le dépôt où Claude Gueux était enfermé, il y avait un directeur des ateliers, espèce de fonctionnaire propre aux prisons, qui tient tout ensemble du guichetier[2] et du marchand, qui fait en même temps une commande à l'ouvrier et une menace au prisonnier, qui vous met l'outil aux mains et les fers aux pieds. Celui-là était lui-même une variété de l'espèce, un homme bref[3], tyrannique, obéissant à ses idées, toujours à courte bride sur son autorité[4] ; d'ailleurs, dans l'occasion, bon compagnon, bon prince, jovial même et raillant[5] avec grâce ; dur plutôt que ferme ; ne raisonnant avec personne, pas même avec lui ; bon père, bon mari sans doute, ce qui est devoir et non vertu ; en un mot, pas méchant, mauvais. C'était un de ces hommes qui n'ont rien de vibrant ni d'élastique, qui sont composés de molécules inertes, qui ne résonnent au choc d'aucune idée, au contact d'aucun sentiment, qui ont des colères glacées, des haines mornes, des emportements sans émotion, qui prennent feu sans s'échauffer, dont la capacité de calorique[6] est nulle, et qu'on dirait souvent faits de bois ; ils flambent par un bout et sont froids par l'autre. La ligne principale, la ligne diagonale du caractère de cet homme, c'était la ténacité. Il était fier d'être tenace, et se comparait à Napoléon. Ceci n'est qu'une illusion d'optique. Il y a nombre de gens qui en sont dupes[7] et qui, à certaine distance, prennent la ténacité pour de la volonté, et une chandelle pour une étoile. Quand cet homme donc avait une fois ajusté ce qu'il appelait sa volonté à une chose absurde, il allait tête haute et à travers toute broussaille jusqu'au bout de la chose absurde. L'entêtement sans l'intelligence, c'est la sottise soudée au bout de la bêtise et lui servant de rallonge. Cela va loin. En géné-

---

1. **Impérieux :** autoritaire d'une manière irrésistible.
2. **Guichetier :** gardien employé au guichet (ouverture dans la porte permettant de surveiller le prisonnier et de lui passer de la nourriture).
3. **Un homme bref :** un homme qui parle peu.
4. **Toujours à courte bride sur son autorité :** inflexible sur son autorité.
5. **Raillant :** se moquant.
6. **Capacité de calorique :** capacité à produire de la chaleur.
7. **Qui en sont dupes :** qui se laissent tromper par cela.

ral, quand une catastrophe privée ou publique s'est écroulée sur nous, si nous examinons, d'après les décombres qui en gisent à terre, de quelle façon elle s'est échafaudée, nous trouvons presque toujours qu'elle a été aveuglément construite par un homme médiocre et obstiné qui avait foi en lui et qui s'admirait. Il y a par le monde beaucoup de ces petites fatalités têtues qui se croient des providences.

Voilà donc ce que c'était que le directeur des ateliers de la prison centrale de Clairvaux. Voilà de quoi était fait le briquet avec lequel la société frappait chaque jour sur les prisonniers pour en tirer des étincelles.

L'étincelle que de pareils briquets arrachent à de pareils cailloux allume souvent des incendies.

Nous avons dit qu'une fois arrivé à Clairvaux, Claude Gueux fut numéroté dans un atelier et rivé à une besogne[1]. Le directeur de l'atelier fit connaissance avec lui, le reconnut bon ouvrier, et le traita bien. Il paraît même qu'un jour, étant de bonne humeur, et voyant Claude Gueux fort triste, car cet homme pensait toujours à celle qu'il appelait sa femme, il lui conta, par manière de jovialité[2] et de passe-temps, et aussi pour le consoler, que cette malheureuse s'était faite fille publique[3]. Claude demanda froidement ce qu'était devenu l'enfant. On ne savait.

Au bout de quelques mois, Claude s'acclimata à l'air de la prison et parut ne plus songer à rien. Une certaine sérénité sévère, propre à son caractère, avait repris le dessus.

Au bout du même espace de temps à peu près, Claude avait acquis un ascendant singulier[4] sur tous ses compagnons. Comme par une sorte de convention tacite[5], et sans que personne sût pourquoi, pas même lui, tous ces hommes le consultaient, l'écoutaient, l'admiraient et l'imitaient, ce qui est le dernier degré ascendant de l'admiration. Ce n'était pas une médiocre gloire d'être obéi par toutes ces natures désobéissantes. Cet empire lui était venu sans

---

1. **Rivé à une besogne :** fixé sur une tâche.
2. **Par manière de jovialité :** gaiement.
3. **Fille publique :** prostituée.
4. **Un ascendant singulier :** une influence particulière.
5. **Convention tacite :** accord qui se passe de mots.

90 qu'il y songeât. Cela tenait au regard qu'il avait dans les yeux. L'œil de l'homme est une fenêtre par laquelle on voit les pensées qui vont et viennent dans sa tête.

Mettez un homme qui contient des idées parmi des hommes qui n'en contiennent pas, au bout d'un temps donné, et par une loi
95 d'attraction[1] irrésistible, tous les cerveaux ténébreux graviteront humblement et avec adoration autour du cerveau rayonnant. Il y a des hommes qui sont fer et des hommes qui sont aimant. Claude était aimant.

En moins de trois mois donc, Claude était devenu l'âme, la loi et
100 l'ordre de l'atelier. Toutes ces aiguilles tournaient sur son cadran. Il devait douter lui-même par moments s'il était roi ou prisonnier. C'était une sorte de pape captif avec ses cardinaux.

Et, par une réaction toute naturelle, dont l'effet s'accomplit sur toutes les échelles, aimé des prisonniers, il était détesté des geô-
105 liers. Cela est toujours ainsi. La popularité ne va jamais sans la défaveur. L'amour des esclaves est toujours doublé de la haine des maîtres.

---

1. **Loi d'attraction :** loi d'attraction universelle ou de la gravitation découverte par Newton selon laquelle les astres s'attirent.

Clefs d'analyse

Action et personnages

1. Relevez les éléments du cadre spatio-temporel dans la première phrase.

2. Quel métier Claude Gueux exerce-t-il ? Quelle est sa situation personnelle ?

3. « Claude Gueux, honnête ouvrier naguère, voleur désormais... » Expliquez. Que révèlent le front « ridé » de Claude Gueux et ses « quelques cheveux gris » ? « C'était une belle tête. On verra ce que la société en a fait. » Qu'en a-t-elle fait selon vous ?

4. Relevez les expressions qui apparentent le directeur de l'atelier à un homme « fait de bois ». Quel est le mot qui exprime le principal trait de son caractère ?

5. Qu'est-il arrivé à la maîtresse de Claude ? Comment l'apprend-il ? Quelles sont les intentions du directeur d'atelier ? Comment Claude réagit-il ? Qu'est-il arrivé à l'enfant ?

6. Combien de temps s'est écoulé depuis que Claude est en prison ? Qu'est-il devenu ?

7. Dans les lignes 99 à 102, à quoi et à qui Claude est-il comparé ? Donnez trois réponses et expliquez pourquoi.

Langue

1. « L'ouvrier était capable [...] ne sachant pas lire et sachant penser » (l. 5-7). Quelle est la fonction des adjectifs qualificatifs ? Quelle figure de style le narrateur emploie-t-il à deux reprises ? Que cherche-t-il ainsi à montrer ?

2. « Un hiver, l'ouvrage manqua [...] L'homme vola » (l. 7-9). À quel temps les verbes sont-ils conjugués ? Pourquoi ce temps ? Précisez le lien logique implicite qui relie chacune de ces phrases à la précédente. La dernière phrase a-t-elle un complément d'objet direct ? Pourquoi selon vous ? Appuyez-vous sur le contexte pour répondre.

3. « L'homme fut envoyé faire son temps à la maison centrale de Clairvaux » (l. 13-14). Expliquez « faire son temps ». Transformez la phrase à la voix active.

Clefs d'analyse

Du début jusqu'à :
« la haine des maîtres ».

4. Dans le portrait du directeur des ateliers, expliquez ce qui distingue « dur » et « ferme », « devoir » et « vertu », « méchant » et « mauvais », « ténacité » et « volonté » (l. 35-52).

Genre ou thème

1. Relevez la première intervention du narrateur dans le récit. La suite de l'extrait lui donne-t-elle raison ?

2. Trois mots se rapportent à ce qu'était la prison de Clairvaux, trois autres à ce qu'elle est devenue. Lesquels ? Quel jugement implicite le narrateur porte-t-il sur cette évolution ?

3. « Ce n'est pas l'atelier que je blâme » (l. 20). Que sous-entend le narrateur ? Que devine-t-on de sa conception de la justice ?

4. « Voilà de quoi était fait le briquet avec lequel la société frappait chaque jour sur les prisonniers pour en tirer des étincelles » (l. 66-68). Expliquez.

Écriture

1. En vous inspirant de la comparaison de M.D. avec du bois, faites le portrait d'un personnage en le comparant à la matière naturelle de votre choix.

Pour aller plus loin

1. Dans le passage cité à la question 7, quelle remarque pouvez-vous faire sur la fin des phrases ? À quel genre littéraire ce passage fait-il songer ? Recherchez des extraits de ce genre qui s'en rapprochent.

> ## ✳ À retenir
>
> Claude manque d'argent et de travail. Il vole et va en prison. Le récit commence de manière implacable. Il présente ensuite les deux personnages principaux et antithétiques : le voleur est impressionnant de dignité, le gardien de Clairvaux, un homme mauvais. Le narrateur affirme qu'il se contente d'énoncer des faits, mais son jugement transparaît : Claude est victime de la misère.

Claude Gueux

Claude Gueux était grand mangeur. C'était une particularité de son organisation[1]. Il avait l'estomac fait de telle sorte que la nourriture de deux hommes ordinaires suffisait à peine à sa journée. M. de Cotadilla[2] avait un de ces appétits-là, et en riait ; mais ce qui est une occasion de gaieté pour un duc, grand d'Espagne, qui a cinq cent mille moutons, est une charge pour un ouvrier et un malheur pour un prisonnier.

Claude Gueux, libre dans son grenier, travaillait tout le jour, gagnait son pain de quatre livres et le mangeait. Claude Gueux, en prison, travaillait tout le jour et recevait invariablement pour sa peine une livre et demie[3] de pain et quatre onces[4] de viande. La ration est inexorable[5]. Claude avait donc habituellement faim dans la prison de Clairvaux.

Il avait faim, et c'était tout. Il n'en parlait pas. C'était sa nature ainsi.

Un jour, Claude venait de dévorer sa maigre pitance[6], et s'était remis à son métier, croyant tromper la faim par le travail. Les autres prisonniers mangeaient joyeusement. Un jeune homme, pâle, blanc, faible, vint se placer près de lui. Il tenait à la main sa ration, à laquelle il n'avait pas encore touché, et un couteau. Il restait là debout, près de Claude, ayant l'air de vouloir parler et de ne pas oser. Cet homme, et son pain, et sa viande, importunaient Claude.

— Que veux-tu ? dit-il enfin brusquement.

— Que tu me rendes un service, dit timidement le jeune homme.

— Quoi ? reprit Claude.

— Que tu m'aides à manger cela. J'en ai trop.

Une larme roula dans l'œil hautain de Claude. Il prit le couteau, partagea la ration du jeune homme en deux parts égales, en prit une, et se mit à manger.

---

1. **De son organisation :** de son organisme.
2. **M. de Cotadilla :** il commanda l'escorte lors du voyage que fit le jeune Victor Hugo à Madrid en 1811 pour rejoindre son père.
3. **Une livre et demie :** une livre correspond à un demi-kilo environ.
4. **Quatre onces :** une once équivaut à un douzième d'une livre.
5. **Inexorable :** impossible à modifier.
6. **Pitance :** terme à caractère péjoratif pour désigner la nourriture.

— Merci, dit le jeune homme. Si tu veux, nous partagerons comme cela tous les jours.

— Comment t'appelles-tu ? dit Claude Gueux.

— Albin.

— Pourquoi es-tu ici ? reprit Claude.

— J'ai volé.

— Et moi aussi, dit Claude.

Ils partagèrent en effet de la sorte tous les jours. Claude Gueux avait trente-six ans, et par moments il en paraissait cinquante, tant sa pensée habituelle était sévère. Albin avait vingt ans, on lui en eût donné dix-sept, tant il y avait encore d'innocence dans le regard de ce voleur. Une étroite amitié se noua entre ces deux hommes, amitié de père à fils plutôt que de frère à frère. Albin était encore presque un enfant ; Claude était déjà presque un vieillard.

Ils travaillaient dans le même atelier, ils couchaient sous la même clef de voûte[1], ils se promenaient dans le même préau, ils mordaient au même pain. Chacun des deux amis était l'univers pour l'autre. Il paraît qu'ils étaient heureux.

Nous avons déjà parlé du directeur des ateliers. Cet homme, haï des prisonniers, était souvent obligé, pour se faire obéir d'eux, d'avoir recours à Claude Gueux, qui en était aimé. Dans plus d'une occasion, lorsqu'il s'était agi d'empêcher une rébellion ou un tumulte, l'autorité sans titre de Claude Gueux avait prêté main-forte[2] à l'autorité officielle du directeur. En effet, pour contenir les prisonniers, dix paroles de Claude valaient dix gendarmes. Claude avait maintes fois rendu ce service au directeur. Aussi le directeur le détestait-il cordialement[3]. Il était jaloux de ce voleur. Il avait au fond du cœur une haine secrète, envieuse, implacable, contre Claude, une haine de souverain de droit[4] à souverain de fait[5], de pouvoir temporel[6] à pouvoir spirituel[7].

---

1. **Clef de voûte :** pierre centrale qui bloque les autres pierres de la voûte.
2. **Avait prêté main-forte :** avait aidé (s'emploie en particulier dans le domaine de la justice ou des forces publiques).
3. **Cordialement :** du fond du cœur.
4. **Souverain de droit :** chef dont l'autorité est légale.
5. **Souverain de fait :** chef dont l'autorité est naturelle.
6. **Pouvoir temporel :** pouvoir (politique) qui s'exerce sur les corps.
7. **Pouvoir spirituel :** pouvoir (religieux) qui s'exerce sur les âmes.

Ces haines-là sont les pires.

Claude aimait beaucoup Albin, et ne songeait pas au directeur.

Un jour, un matin, au moment où les porte-clefs[1] transvasaient les prisonniers deux à deux du dortoir dans l'atelier, un guichetier appela Albin, qui était à côté de Claude et le prévint que le directeur le demandait.

— Que te veut-on ? dit Claude.

— Je ne sais pas, dit Albin.

Le guichetier emmena Albin.

La matinée se passa, Albin ne revint pas à l'atelier. Quand arriva l'heure du repas, Claude pensa qu'il retrouverait Albin au préau. Albin n'était pas au préau. On rentra dans l'atelier, Albin ne reparut pas dans l'atelier. La journée s'écoula ainsi. Le soir, quand on ramena les prisonniers dans leur dortoir, Claude y chercha des yeux Albin, et ne le vit pas. Il paraît qu'il souffrait beaucoup dans ce moment-là, car il adressa la parole à un guichetier, ce qu'il ne faisait jamais.

— Est-ce qu'Albin est malade ? dit-il.

— Non, répondit le guichetier.

— D'où vient donc, reprit Claude, qu'il n'a pas reparu aujourd'hui ?

— Ah ! dit négligemment le porte-clefs, c'est qu'on l'a changé de quartier.

Les témoins qui ont déposé[2] de ces faits plus tard remarquèrent qu'à cette réponse du guichetier la main de Claude, qui portait une chandelle allumée, trembla légèrement. Il reprit avec calme :

— Qui a donné cet ordre-là ?

Le guichetier répondit :

— M. D.

Le directeur des ateliers s'appelait M. D.

La journée du lendemain se passa comme la journée précédente, sans Albin.

---

1. **Porte-clefs :** employés de prison chargés de porter les clefs.
2. **Qui ont déposé :** qui ont témoigné.

Clefs d'analyse

Action et personnages

1. Quelle nouvelle caractéristique de Claude Gueux apprend-on ? Est-ce un atout pour lui ou un inconvénient ? Justifiez votre réponse en vous appuyant sur le texte.

2. Dès que le jeune homme apparaît, qu'est-ce qui le rapproche de Claude dans son attitude ? En quoi les deux hommes diffèrent-ils cependant ?

3. Quelle est la première réaction de Claude quand il rencontre le jeune homme ? Relevez un verbe et un adverbe pour répondre.

4. Relevez la phrase qui révèle la réaction de Claude quand le jeune homme lui propose du pain. Sur quelle opposition cette phrase est-elle construite ? Donnez deux raisons qui expliquent l'émotion de Claude.

5. Quel âge Claude et Albin ont-ils ? Qu'est-ce qui renforce leur différence d'âge ?

6. Pourquoi le directeur d'atelier a-t-il parfois besoin de Claude ? Quels sentiments éprouve-t-il à son égard ? Claude en conçoit-il du dépit ? Pour quelle raison ?

7. En vous appuyant sur les lignes 70 à 77 « La matinée se passa... », reconstituez l'emploi du temps des journées des prisonniers en précisant les lieux concernés.

8. Quand Claude ne voit pas Albin reparaître, quelle action fait-il qu'il n'a pas l'habitude de faire ? Qu'est-ce que cela montre ?

9. Pourquoi Albin ne reparaît-il pas ? Comment Claude réagit-il à cette nouvelle ? Qui est responsable du départ d'Albin ?

Langue

1. « Un jeune homme, pâle, blanc, faible, vint se placer près de lui. » Relevez les adjectifs qualificatifs et précisez la fonction de chacun d'eux.

2. Expliquez le sens du mot « pensée » dans cette proposition : « et par moments il en paraissait cinquante, tant sa pensée habituelle était sévère » (l. 39-40).

3. « Ils travaillaient dans le même atelier, ils couchaient sous la même clef de voûte, ils se promenaient dans le même préau,

ils mordaient au même pain » (l. 45-47). Par quels procédés le narrateur exprime-t-il la proximité entre les deux hommes ?

Genre ou thèmes

1. Expliquez le sens de « l'autorité sans titre » (l. 53) de Claude. À quoi s'oppose-t-elle ? Relevez deux fois deux expressions à la fin du même paragraphe qui reprennent cette opposition.

Écriture

1. « Il avait au fond du cœur une haine secrète, envieuse, implacable, contre Claude, une haine de souverain de droit à souverain de fait, de pouvoir temporel à pouvoir spirituel » (l. 57-60). Dans un paragraphe argumenté, expliquez pourquoi « ces haines-là sont les pires ».

Pour aller plus loin

1. Cherchez des extraits de livre qui décrivent une relation d'amitié. Comparez-les avec l'amitié de Claude et d'Albin.

✳ À retenir

C'est la faim qui va ouvrir Claude à l'amitié. Il se lie en effet avec le jeune homme qui lui offre quotidiennement la moitié de son pain. L'intensité de leur relation est à la hauteur de l'inimitié que le directeur des ateliers voue à Claude parce qu'il se fait respecter naturellement par les prisonniers. Cette haine va provoquer l'élément déclencheur du récit : M. D. sépare Albin de Claude.

Le soir, à l'heure de la clôture des travaux, le directeur, M. D., vint faire sa ronde habituelle dans l'atelier. Du plus loin que Claude le vit, il ôta son bonnet de grosse laine, il boutonna sa veste grise, triste livrée[1] de Clairvaux, car il est de principe dans les prisons qu'une veste respectueusement boutonnée prévient favorablement[2] les supérieurs, et il se tint debout et son bonnet à la main à l'entrée de son banc, attendant le passage du directeur. Le directeur passa.

— Monsieur ! dit Claude.

Le directeur s'arrêta et se détourna à demi.

— Monsieur, reprit Claude, est-ce que c'est vrai qu'on a changé Albin de quartier ?

— Oui, répondit le directeur.

— Monsieur, poursuivit Claude, j'ai besoin d'Albin pour vivre.

Il ajouta :

— Vous savez que je n'ai pas assez de quoi manger avec la ration de la maison, et qu'Albin partageait son pain avec moi.

— C'était son affaire, dit le directeur.

— Monsieur, est-ce qu'il n'y aurait pas moyen de faire remettre Albin dans le même quartier que moi ?

— Impossible. Il y a décision prise.

— Par qui ?

— Par moi.

— Monsieur D., reprit Claude, c'est la vie ou la mort pour moi, et cela dépend de vous.

— Je ne reviens jamais sur mes décisions.

— Monsieur, est-ce que je vous ai fait quelque chose ?

— Rien.

— En ce cas, dit Claude, pourquoi me séparez-vous d'Albin ?

— Parce que, dit le directeur.

Cette explication donnée, le directeur passa outre.

Claude baissa la tête et ne répliqua pas. Pauvre lion en cage à qui l'on ôtait son chien !

---

1. **Livrée :** habit de domestique. Désigne ici l'uniforme du prisonnier.
2. **Prévient favorablement :** fait bonne impression sur.

Nous sommes forcé de dire que le chagrin de cette séparation n'altéra en rien[1] la voracité[2] en quelque sorte maladive du prisonnier. Rien d'ailleurs ne parut sensiblement changé en lui. Il ne parlait d'Albin à aucun de ses camarades. Il se promenait seul dans le préau aux heures de récréation, et il avait faim. Rien de plus.

Cependant ceux qui le connaissaient bien remarquaient quelque chose de sinistre et de sombre qui s'épaississait chaque jour de plus en plus sur son visage. Du reste, il était plus doux que jamais.

Plusieurs voulurent partager leur ration avec lui, il refusa en souriant.

Tous les soirs, depuis l'explication que lui avait donnée le directeur, il faisait une espèce de chose folle qui étonnait de la part d'un homme aussi sérieux. Au moment où le directeur, ramené à heure fixe par sa tournée habituelle, passait devant le métier[3] de Claude, Claude levait les yeux et le regardait fixement, puis il lui adressait d'un ton plein d'angoisse et de colère, qui tenait à la fois de la prière et de la menace, ces deux mots seulement : *Et Albin ?* Le directeur faisait semblant de ne pas entendre ou s'éloignait en haussant les épaules.

Cet homme avait tort de hausser les épaules, car il était évident pour tous les spectateurs de ces scènes étranges que Claude Gueux était intérieurement déterminé à quelque chose. Toute la prison attendait avec anxiété[4] quel serait le résultat de cette lutte entre une ténacité et une résolution.

Il a été constaté qu'une fois entre autres Claude dit au directeur :

— Écoutez, monsieur, rendez-moi mon camarade. Vous ferez bien, je vous assure. Remarquez que je vous dis cela.

Une autre fois, un dimanche, comme il se tenait dans le préau, assis sur une pierre, les coudes sur les genoux et son front dans ses mains, immobile depuis plusieurs heures dans la même attitude, le condamné Faillette s'approcha de lui, et lui cria en riant :

— Que diable fais-tu donc là, Claude ?

Claude leva lentement sa tête sévère, et dit :

---

1. **N'altéra en rien :** ne modifia pas du tout.
2. **Voracité :** avidité à dévorer.
3. **Métier :** machine sur laquelle on travaille les textiles.
4. **Avec anxiété :** avec inquiétude, angoisse.

— *Je juge quelqu'un.*

Un soir enfin, le 25 octobre 1831, au moment où le directeur faisait sa ronde, Claude brisa sous son pied avec bruit un verre de montre qu'il avait trouvé le matin dans un corridor. Le directeur demanda d'où venait ce bruit.

— Ce n'est rien, dit Claude, c'est moi. Monsieur le directeur, rendez-moi mon camarade.

— Impossible, dit le maître.

— Il le faut pourtant, dit Claude d'une voix basse et ferme ; et, regardant le directeur en face, il ajouta :

— Réfléchissez. Nous sommes aujourd'hui le 25 octobre. Je vous donne jusqu'au 4 novembre.

Un guichetier fit remarquer à M. D. que Claude le menaçait, et que c'était un cas de cachot[1].

— Non, point de cachot, dit le directeur avec un sourire dédaigneux[2] ; il faut être bon avec ces gens-là !

Le lendemain, le condamné Pernot aborda Claude, qui se promenait seul et pensif, laissant les autres prisonniers s'ébattre dans un petit carré de soleil à l'autre bout de la cour.

— Eh bien ! Claude, à quoi songes-tu ? tu parais triste.

— *Je crains,* dit Claude, *qu'il n'arrive bientôt quelque malheur à ce bon M. D.*

Il y a neuf jours pleins du 25 octobre au 4 novembre. Claude n'en laissa pas passer un sans avertir gravement le directeur de l'état de plus en plus douloureux où le mettait la disparition d'Albin. Le directeur, fatigué, lui infligea une fois vingt-quatre heures de cachot, parce que la prière ressemblait trop à une sommation[3]. Voilà tout ce que Claude obtint.

---

1. **Un cas de cachot** : une attitude qui justifierait d'être mis au « cachot » (cellule sans lumière dans laquelle on isole un prisonnier).
2. **Dédaigneux :** hautain, supérieur.
3. **Sommation :** ordre, commandement.

Clefs d'analyse

Action et personnages

1. Quels sont les deux gestes de Claude pour se présenter respectueusement au directeur de l'atelier ?

2. Dans le dialogue que Claude suscite avec lui, comment pouvez-vous caractériser les réponses du directeur des ateliers ?
Que répond-il à Claude qui lui demande pourquoi il le sépare d'Albin ? Pour quelles raisons répond-il ainsi selon vous ?
Quel trait de caractère de M. D. ce passage révèle-t-il ? Comment Claude réagit-il ?

3. Depuis cette explication, que fait Claude tous les jours ?
Quelle expression le narrateur emploie-t-il pour caractériser cette attitude ? Comment le directeur d'atelier réagit-il ?

4. Résumez les actions de Claude à l'égard du directeur.
De quelle qualité Claude fait-il preuve ?

5. Que fait Claude lorsqu'il reste immobile pendant plusieurs heures dans le préau ? Par quel procédé l'auteur met-il en valeur ce moment ?

6. Quelles indications temporelles sont précisées aux lignes 77-78 ?
En quoi sont-elles importantes ?

7. Que risque Claude ?

8. Relevez la phrase du directeur des ateliers qui justifie le fait de ne pas envoyer Claude au cachot. Quelle expression marque son mépris ? Quel adjectif qualificatif utilise-t-il ?
Qu'en pensez-vous ? Claude reprend le même adjectif un peu plus tard. Citez la phrase et commentez-la.

9. Claude obtient-il satisfaction pendant ces neuf jours ?
Pour quelle raison ?

Langue

1. Quel son est répété à de multiples reprises dans ce passage :
« quelque chose de sinistre et de sombre qui s'épaississait chaque jour de plus en plus sur son visage » (l. 39-41) ?
Comment appelle-t-on cette figure de style ?

Clefs d'analyse

De : « Le soir, à l'heure de la clôture des travaux » à : «Voilà tout ce que Claude obtint ».

2. *« Je crains qu'il n'arrive bientôt quelque malheur à ce bon M. D. »* (l. 87-88). À quel mode le verbe « arriver » est-il conjugué ? Pour quelle raison ?

Genre ou thèmes

1. Relevez la phrase qui exprime le point de vue du narrateur sur cette scène (p. 32). Quel sentiment éprouve-t-il à l'égard de son personnage ? Par quels procédés le traduit-il ? Relevez et explicitez la figure de style qu'il utilise. À quel genre littéraire fait-elle songer ?

2. « Toute la prison attendait avec anxiété quel serait le résultat de cette lutte entre une ténacité et une résolution » (l. 55-57). À quel personnage la « ténacité » renvoie-t-elle ? Auquel renvoie la « résolution » ? Le narrateur accorde-t-il la même valeur à ces deux attitudes ? Justifiez votre réponse.

Écriture

1. Imaginez que, le soir, le guichetier raconte à son épouse l'échange qu'il a eu avec le directeur et sa réponse sur le cachot. Votre dialogue devra faire apparaître clairement le point de vue du guichetier sur cet échange.

Pour aller plus loin

1. Qui est Giuseppe Mazzini ? Aidez-vous d'Internet ou d'une encyclopédie.

> ### ✷ À retenir
>
> Ce passage développe la lutte entre la volonté incarnée par Claude et la ténacité représentée par M. D. Claude fait tout pour savoir pourquoi le directeur l'a séparé d'Albin et tout pour le récupérer. Il se heurte au caractère inflexible de M. D. qui savoure ainsi sa vengeance. Tout est mis en place pour que le drame ait lieu…

Le 4 novembre arriva. Ce jour-là, Claude s'éveilla avec un visage serein qu'on ne lui avait pas encore vu depuis le jour où la *décision* de M. D. l'avait séparé de son ami. En se levant, il fouilla dans une espèce de caisse de bois blanc qui était au pied de son lit, et qui contenait ses quelques guenilles[1]. Il en tira une paire de ciseaux de couturière. C'était, avec un volume dépareillé de l'*Émile*[2], la seule chose qui lui restât de la femme qu'il avait aimée, de la mère de son enfant, de son heureux petit ménage d'autrefois. Deux meubles[3] bien inutiles pour Claude ; les ciseaux ne pouvaient servir qu'à une femme, le livre qu'à un lettré. Claude ne savait ni coudre ni lire.

Au moment où il traversait le vieux cloître[4] déshonoré et blanchi à la chaux qui sert de promenoir l'hiver, il s'approcha du condamné Ferrari, qui regardait avec attention les énormes barreaux d'une croisée[5]. Claude tenait à la main la petite paire de ciseaux ; il la montra à Ferrari en disant :

— Ce soir je couperai ces barreaux-ci avec ces ciseaux-là.

Ferrari, incrédule[6], se mit à rire, et Claude aussi.

Ce matin-là, il travailla avec plus d'ardeur qu'à l'ordinaire ; jamais il n'avait fait si vite et si bien. Il parut attacher un certain prix à terminer dans la matinée un chapeau de paille que lui avait payé d'avance un honnête bourgeois de Troyes, M. Bressier.

Un peu avant midi, il descendit sous un prétexte à l'atelier des menuisiers, situé au rez-de-chaussée, au-dessous de l'étage où il travaillait. Claude était aimé là comme ailleurs, mais il y entrait rarement. Aussi :

— Tiens ! voilà Claude !

On l'entoura. Ce fut une fête. Claude jeta un coup d'œil rapide dans la salle. Pas un des surveillants n'y était.

— Qui est-ce qui a une hache à me prêter ? dit-il.

— Pour quoi faire ? lui demanda-t-on.

Il répondit :

---

1. **Guenilles :** vêtements sales et en lambeaux.
2. *Émile ou De l'éducation :* célèbre traité d'éducation de Jean-Jacques Rousseau (1762).
3. **Meubles :** objets que l'on peut emporter avec soi.
4. **Cloître :** cour intérieure de l'abbaye.
5. **Croisée :** châssis vitré qui ferme une fenêtre.
6. **Incrédule :** sceptique, qui n'y croit pas.

— C'est pour tuer ce soir le directeur des ateliers.

On lui présenta plusieurs haches à choisir. Il prit la plus petite, qui était fort tranchante, la cacha dans son pantalon, et sortit. Il y avait là vingt-sept prisonniers. Il ne leur avait pas recommandé le secret. Tous le gardèrent.

Ils ne causèrent même pas de la chose entre eux.

Chacun attendit de son côté ce qui arriverait. L'affaire était terrible, droite et simple. Pas de complication possible. Claude ne pouvait être ni conseillé ni dénoncé.

Une heure après, il aborda un jeune condamné de seize ans qui bâillait dans le promenoir, et lui conseilla d'apprendre à lire. En ce moment, le détenu Faillette accosta Claude, et lui demanda ce que diable il cachait là dans son pantalon. Claude dit :

— C'est une hache pour tuer M. D. ce soir.

Il ajouta :

— Est-ce que cela se voit ?

— Un peu, dit Faillette.

Le reste de la journée fut à l'ordinaire[1]. À sept heures du soir, on renferma les prisonniers, chaque section dans l'atelier qui lui était assigné ; et les surveillants sortirent des salles de travail, comme il paraît que c'est l'habitude, pour ne rentrer qu'après la ronde du directeur.

Claude Gueux fut donc verrouillé comme les autres dans son atelier avec ses compagnons de métier.

Alors il se passa dans cet atelier une scène extraordinaire, une scène qui n'est ni sans majesté ni sans terreur, la seule de ce genre qu'aucune histoire puisse raconter.

Il y avait là, ainsi que l'a constaté l'instruction judiciaire[2] qui a eu lieu depuis, quatre-vingt-deux voleurs, y compris Claude.

Une fois que les surveillants les eurent laissés seuls, Claude se leva debout sur son banc, et annonça à toute la chambrée qu'il avait quelque chose à dire. On fit silence.

Alors Claude haussa la voix et dit :

— Vous savez tous qu'Albin était mon frère. Je n'ai pas assez de ce qu'on me donne ici pour manger. Même en n'achetant que du

---

1. **Le reste de la journée fut à l'ordinaire :** le reste de la journée se déroula comme d'habitude.
2. **L'instruction judiciaire :** procédure de justice qui précède le jugement.

pain avec le peu que je gagne, cela ne suffirait pas. Albin partageait sa ration avec moi ; je l'ai aimé d'abord parce qu'il m'a nourri, ensuite parce qu'il m'a aimé. Le directeur, M. D., nous a séparés.
Cela ne lui faisait rien que nous fussions ensemble ; mais c'est
70 un méchant homme, qui jouit de tourmenter. Je lui ai redemandé Albin. Vous avez vu, il n'a pas voulu. Je lui ai donné jusqu'au 4 novembre pour me rendre Albin. Il m'a fait mettre au cachot pour avoir dit cela. Moi, pendant ce temps-là, je l'ai jugé et je l'ai condamné à mort. Nous sommes au 4 novembre. Il viendra dans
75 deux heures faire sa tournée. Je vous préviens que je vais le tuer. Avez-vous quelque chose à dire à cela ?

Tous gardèrent le silence.

Claude reprit. Il parla, à ce qu'il paraît, avec une éloquence[1] singulière, qui d'ailleurs lui était naturelle. Il déclara qu'il savait bien qu'il
80 allait faire une action violente, mais qu'il ne croyait pas avoir tort. Il attesta la conscience des quatre-vingt-un voleurs qui l'écoutaient :

Qu'il était dans une rude extrémité[2] ;

Que la nécessité de se faire justice soi-même était un cul-de-sac où l'on se trouvait engagé quelquefois ;

85 Qu'à la vérité il ne pouvait prendre la vie du directeur sans donner la sienne propre, mais qu'il trouvait bon de donner sa vie pour une chose juste ;

Qu'il avait mûrement réfléchi, et à cela seulement, depuis deux mois ;

Qu'il croyait bien ne pas se laisser entraîner par le ressentiment[3],
90 mais que, dans le cas où cela serait[4], il suppliait qu'on l'en avertît ;

Qu'il soumettait honnêtement ses raisons aux hommes justes qui l'écoutaient ;

Qu'il allait donc tuer M. D., mais que, si quelqu'un avait une objection à lui faire, il était prêt à l'écouter.

95 Une voix seulement s'éleva, et dit qu'avant de tuer le directeur, Claude devait essayer une dernière fois de lui parler et de le fléchir[5].

---

1. **Éloquence :** qualité de celui qui s'exprime avec facilité et de manière très convaincante.
2. **Dans une rude extrémité :** dans une situation sans issue, désespérée.
3. **Ressentiment :** rancœur, rancune.
4. **Dans le cas où cela serait :** si cela était le cas.
5. **Fléchir :** faire changer d'avis ou de décision.

— C'est juste, dit Claude, et je le ferai.

Huit heures sonnèrent à la grande horloge. Le directeur devait venir à neuf heures.

Une fois que cette étrange cour de cassation[1] eut en quelque sorte ratifié la sentence qu'il avait portée[2], Claude reprit toute sa sérénité. Il mit sur une table tout ce qu'il possédait en linge et en vêtements, la pauvre dépouille du prisonnier, et, appelant l'un après l'autre ceux de ses compagnons qu'il aimait le plus après Albin, il leur distribua tout. Il ne garda que la petite paire de ciseaux.

Puis il les embrassa tous. Quelques-uns pleuraient, il souriait à ceux-là.

Il y eut, dans cette heure dernière, des instants où il causa avec tant de tranquillité et même de gaieté, que plusieurs de ses camarades espéraient intérieurement, comme ils l'ont déclaré depuis, qu'il abandonnerait peut-être sa résolution. Il s'amusa même une fois à éteindre une des rares chandelles qui éclairaient l'atelier avec le souffle de sa narine, car il avait de mauvaises habitudes d'éducation qui dérangeaient sa dignité naturelle plus souvent qu'il n'aurait fallu. Rien ne pouvait faire que cet ancien gamin des rues n'eût point par moments l'odeur du ruisseau de Paris.

Il aperçut un jeune condamné qui était pâle, qui le regardait avec des yeux fixes, et qui tremblait, sans doute dans l'attente de ce qu'il allait voir.

— Allons, du courage, jeune homme ! lui dit Claude doucement, ce ne sera que l'affaire d'un instant.

Quand il eut distribué toutes ses hardes[3], fait tous ses adieux, serré toutes les mains, il interrompit quelques causeries inquiètes qui se faisaient çà et là dans les coins obscurs de l'atelier, et il commanda qu'on se remît au travail. Tous obéirent en silence.

---

1. **Cour de cassation :** tribunal qui a le pouvoir d'annuler un jugement afin que l'affaire soit réexaminée.
2. **Eut en quelque sorte ratifié la sentence qu'il avait portée :** eut approuvé son jugement.
3. **Hardes :** vêtements misérables.

Clefs d'analyse

Action et personnages

1. À quelle date ce passage commence-t-il ? Que marque cette date ? Dans quel état d'esprit Claude se réveille-t-il ce jour-là ?

2. Quelles sont les deux choses qu'il reste à Claude de sa maîtresse ?

3. Pourquoi Claude demande-t-il une hache ? Dissimule-t-il son intention au détenu Faillette ?

4. Combien y a-t-il de prisonniers dans l'atelier ? Comment Claude met-il son discours en scène ? Que leur annonce-t-il ? Leur demande-t-il de garder le secret ? Le dénoncent-ils ? Pourquoi, selon vous ?

5. Que risque Claude ? Le redoute-t-il ? Citez la phrase qui l'explique.

6. Un prisonnier se distingue des autres. Que dit-il à Claude ? Que pense celui-ci d'un tel conseil ?

Langue

1. « Ce soir je couperai ces barreaux-ci avec ces ciseaux-là » (l. 16). Dans cette phrase prononcée par Claude, relevez tout ce qui concourt à créer un parallélisme. Pourquoi Ferrari et Claude se mettent-ils à rire ?

2. « Le reste de la journée fut à l'ordinaire » [...] « Alors il se passa dans cet atelier une scène extraordinaire » (l. 49-55). En vous aidant du contexte, expliquez l'expression « à l'ordinaire ». En vous appuyant sur la formation du mot « extraordinaire », expliquez-en précisément le sens. Par quelle figure de style « à l'ordinaire » et « extraordinaire » sont-ils mis en rapport ?

3. Relevez quatre phrases comprenant « tous » et précisez chaque fois la fonction de ce pronom. Quelle idée le narrateur cherche-t-il à donner de l'ensemble des prisonniers ?

4. « Il déclara qu'il savait bien qu'il allait faire une action violente, mais qu'il ne croyait pas avoir tort » (l. 79-80). Transformez cette phrase au discours direct.

Clefs d'analyse

5. Quelle est la particularité des phrases dans le passage qui va de :
« Qu'il était dans une rude extrémité... » jusqu'à : « ... il était prêt
à l'écouter » (l. 82-94) ? Quel est le but recherché par l'auteur ?

Genre ou thèmes

1. Quel geste fait Claude traduisant chez lui un certain manque de
dignité ? Aux yeux du narrateur, est-ce la nature ou la société
qui est en cause ? Justifiez votre réponse en vous appuyant sur le
texte.

2. Que fait Claude une fois que huit heures sonnèrent ? À qui fait-il
penser ?

3. Quel conseil Claude donne-t-il au détenu de seize ans ? Que
faisait le jeune homme au moment où il rencontre Claude ? Dans
quelle mesure cette action peut-elle être mise en relation avec
le conseil prodigué par Claude ? Plus généralement, que traduit
cette attention de la personnalité de Claude et quel thème
majeur du texte met-elle en évidence ?

Pour aller plus loin

1. Faites une recherche documentaire sur Jésus et ses apôtres et
présentez-la sous forme d'exposé à la classe.

> ## ✳ À retenir
>
> Le jour de l'ultimatum arrive. Il transforme le quotidien
> en moment extraordinaire : Claude monte sur un banc
> pour annoncer à l'assemblée des prisonniers son projet
> de tuer M. D. et les détenus réagissent comme des
> apôtres ou comme un chœur antique. Un seul émet une
> réserve, Claude la prend en compte. Son personnage
> prend de plus en plus d'envergure, son comportement
> évoque désormais le Christ.

Clefs d'analyse

Claude Gueux

L'atelier où ceci se passait était une salle oblongue[1], un long parallélogramme percé de fenêtres sur ses deux grands côtés, et de deux portes qui se regardaient à ses deux extrémités. Les métiers étaient rangés de chaque côté près des fenêtres, les bancs touchant le mur à angle droit, et l'espace resté libre entre les deux rangées de métiers formait une sorte de longue voie qui allait en ligne droite de l'une des portes à l'autre et traversait ainsi toute la salle. C'était cette longue voie, assez étroite, que le directeur avait à parcourir en faisant son inspection ; il devait entrer par la porte sud et ressortir par la porte nord, après avoir regardé les travailleurs à droite et à gauche. D'ordinaire il faisait ce trajet assez rapidement et sans s'arrêter.

Claude s'était replacé lui-même à son banc, et il s'était remis au travail, comme Jacques Clément[2] se fût remis à la prière.

Tous attendaient. Le moment approchait. Tout à coup on entendit un coup de cloche. Claude dit :

— C'est l'avant-quart[3].

Alors il se leva, traversa gravement une partie de la salle, et alla s'accouder sur l'angle du premier métier à gauche, tout à côté de la porte d'entrée. Son visage était parfaitement calme et bienveillant.

Neuf heures sonnèrent. La porte s'ouvrit. Le directeur entra.

En ce moment-là, il se fit dans l'atelier un silence de statues.

Le directeur était seul comme d'habitude.

Il entra avec sa figure joviale, satisfaite et inexorable[4], ne vit pas Claude qui était debout à gauche de la porte, la main droite cachée dans son pantalon, et passa rapidement devant les premiers métiers, hochant la tête, mâchant ses paroles, et jetant çà et là son regard banal, sans s'apercevoir que tous les yeux qui l'entouraient étaient fixés sur une idée terrible.

Tout à coup il se détourna brusquement, surpris d'entendre un pas derrière lui.

---

1. **Oblongue :** plus longue que large.
2. **Jacques Clément :** moine dominicain, assassin d'Henri III pendant les guerres de Religion.
3. **Avant-quart :** coup sonné par certaines horloges un quart d'heure avant l'heure.
4. **Inexorable :** impossible à modifier.

C'était Claude, qui le suivait en silence depuis quelques instants.

— Que fais-tu là, toi ? dit le directeur ; pourquoi n'es-tu pas à ta place ?

Car un homme n'est plus un homme, là ; c'est un chien, on le tutoie.

Claude Gueux répondit respectueusement :

— C'est que j'ai à vous parler, monsieur le directeur.

— De quoi ?

— D'Albin.

— Encore ! dit le directeur.

— Toujours ! dit Claude.

— Ah çà ! reprit le directeur continuant de marcher, tu n'as donc pas eu assez de vingt-quatre heures de cachot ?

Claude répondit en continuant de le suivre :

— Monsieur le directeur, rendez-moi mon camarade.

— Impossible !

— Monsieur le directeur, dit Claude avec une voix qui eût attendri le démon, je vous en supplie, remettez Albin avec moi, vous verrez comme je travaillerai bien. Vous qui êtes libre, cela vous est égal, vous ne savez pas ce que c'est qu'un ami ; mais moi, je n'ai que les quatre murs de ma prison. Vous pouvez aller et venir, vous ; moi je n'ai qu'Albin. Rendez-le-moi. Albin me nourrissait, vous le savez bien. Cela ne vous coûterait que la peine de dire oui. Qu'est-ce que cela vous fait qu'il y ait dans la même salle un homme qui s'appelle Claude Gueux et un autre qui s'appelle Albin ? Car ce n'est pas plus compliqué que cela. Monsieur le directeur, mon bon monsieur D., je vous supplie vraiment, au nom du ciel !

Claude n'en avait peut-être jamais tant dit à la fois à un geôlier. Après cet effort, épuisé, il attendit. Le directeur répliqua avec un geste d'impatience :

— Impossible. C'est dit. Voyons, ne m'en reparle plus. Tu m'ennuies.

Et, comme il était pressé, il doubla le pas. Claude aussi. En parlant ainsi, ils étaient arrivés tous deux près de la porte de sortie ; les quatre-vingts voleurs regardaient et écoutaient, haletants.

Claude toucha doucement le bras du directeur.

70   — Mais au moins que je sache pourquoi je suis condamné à mort. Dites-moi pourquoi vous l'avez séparé de moi.

    — Je te l'ai déjà dit, répondit le directeur, parce que.

Et, tournant le dos à Claude, il avança la main vers le loquet de la porte de sortie.

75   À la réponse du directeur, Claude avait reculé d'un pas. Les quatre-vingts statues qui étaient là virent sortir de son pantalon sa main droite avec la hache. Cette main se leva, et, avant que le directeur eût pu pousser un cri, trois coups de hache, chose affreuse à dire, assénés[1] tous les trois dans la même entaille[2], lui

80 avaient ouvert le crâne. Au moment où il tombait à la renverse, un quatrième coup lui balafra le visage ; puis, comme une fureur lancée ne s'arrête pas court, Claude Gueux lui fendit la cuisse droite d'un cinquième coup inutile. Le directeur était mort.

    Alors Claude jeta la hache et cria : *À l'autre maintenant !* L'autre,

85 c'était lui. On le vit tirer de sa veste les petits ciseaux de « sa femme », et, sans que personne songeât à l'en empêcher, il se les enfonça dans la poitrine. La laine était courte, la poitrine était profonde. Il y fouilla longtemps et à plus de vingt reprises en criant :

    — Cœur de damné, je ne te trouverai donc pas !

90   Et enfin il tomba baigné dans son sang, évanoui sur le mort.

    Lequel des deux était la victime de l'autre ?

---

1. **Assénés :** donnés, portés avec violence.
2. **Entaille :** blessure profonde.

Clefs d'analyse

Action et personnages

1. Pourquoi, selon vous, la description de l'atelier est-elle si précise ?
2. Y a-t-il quelque chose dans l'attitude de Claude qui trahisse son projet de commettre un crime ? Appuyez-vous sur le texte pour répondre. Sa future victime semble-t-elle se douter de quelque chose ?
3. À quelle heure le directeur entre-t-il dans la pièce ?
4. Dans leur silence, à quoi les prisonniers sont-ils comparés ?
5. Dans leur dialogue, en quoi les manières de parler de Claude et de M. D. s'opposent-elles ?
6. Résumez les arguments que présente Claude à M. D. pour lui demander de « remettre Albin avec lui » (l. 49-60).
7. Quelles sont les deux raisons qui peuvent expliquer pourquoi Claude se considère « condamné à mort » (l. 70-71) ?
8. Pour quelle raison Claude demande-t-il une fois de plus à M. D. pourquoi il l'a séparé d'Albin ? Que lui répond M. D. ? Quel effet cette réponse a-t-elle sur Claude ?
9. Claude parvient-il à se suicider ? Quel mot du texte vous permet de l'affirmer ?

Langue

1. À quel temps les verbes du premier paragraphe sont-ils conjugués ? En vous appuyant sur quelques exemples, déterminez les deux valeurs de ce temps.
2. Quel adjectif qualificatif apparaît trois fois dans le premier paragraphe ? Quel adjectif de la même famille figure également dans le même passage ? Pourquoi cette insistance selon vous ?
3. « Monsieur le directeur, dit Claude, avec une voix qui eût attendri le démon... » (l. 49-50). À quel temps et quel mode le verbe « attendrir » est-il conjugué ? Réécrivez cette phrase en employant un autre mode qui donne un sens proche à cette phrase.
4. Relevez tous les sujets grammaticaux dans le paragraphe de la scène du crime (l. 75-83). Que remarquez-vous ?

Clefs d'analyse

5. À la fin, à quel « cœur de damné » (l. 89) Claude s'adresse-t-il ? Expliquez cette expression. Relevez dans cet extrait un mot appartenant à la famille de « damné ».

Genre ou thèmes

1. « Neuf heures sonnèrent. La porte s'ouvrit. Le directeur entra » (l. 22). Analysez la manière dont est écrite l'entrée du directeur. À quelle autre forme littéraire ce passage fait-il penser ? Relevez dans la suite immédiate du texte deux autres exemples de rythme ternaire.

Écriture

1. « Lequel des deux était la victime de l'autre ? » (l. 91). Répondez à cette question dans un paragraphe argumenté.

Pour aller plus loin

1. Vous devez adapter au cinéma la scène du crime. En vous appuyant sur votre réponse à la question de Langue n° 4 et sur le vocabulaire de l'image au cinéma (valeur des plans, angle de vue...), décrivez aussi précisément que possible les plans que vous tourneriez pour filmer cette scène.

✳ À retenir

Le lieu du crime est minutieusement décrit et tout se déroule comme prévu : le directeur fait son entrée ponctuelle, Claude très calme, et même bienveillant, lui demande une fois encore pourquoi il l'a séparé d'Albin. Une fois encore, M. D. lui répond « Parce que ». C'est ce qui déclenche le meurtre : Claude tue à coups de hache le directeur mais rate son suicide.

Quand Claude reprit connaissance, il était dans un lit, couvert de linges et de bandages, entouré de soins. Il avait auprès de son chevet de bonnes sœurs de charité, et de plus un juge d'instruction qui instrumentait[1] et qui lui demanda avec beaucoup d'intérêt :

— *Comment vous trouvez-vous ?*

Il avait perdu une grande quantité de sang, mais les ciseaux avec lesquels il avait eu la superstition touchante de se frapper avaient mal fait leur devoir ; aucun des coups qu'il s'était portés n'était dangereux. Il n'y avait de mortelles pour lui que les blessures qu'il avait faites à M. D.

Les interrogatoires commencèrent. On lui demanda si c'était lui qui avait tué le directeur des ateliers de la prison de Clairvaux. Il répondit : *Oui.* On lui demanda pourquoi. Il répondit : *Parce que.*

Cependant, à un certain moment, ses plaies s'envenimèrent ; il fut pris d'une fièvre mauvaise dont il faillit mourir.

Novembre, décembre, janvier et février se passèrent en soins et en préparatifs ; médecins et juges s'empressaient autour de Claude ; les uns guérissaient ses blessures, les autres dressaient son échafaud.

Abrégeons. Le 16 mars 1832, il parut, étant parfaitement guéri, devant la cour d'assises[2] de Troyes. Tout ce que la ville peut donner de foule était là.

Claude eut une bonne attitude devant la cour. Il s'était fait raser avec soin, il avait la tête nue, il portait ce morne habit des prisonniers de Clairvaux, mi-partie de deux espèces de gris.

Le procureur du roi avait encombré la salle de toutes les baïonnettes[3] de l'arrondissement, « afin, dit-il à l'audience, de contenir tous les scélérats[4] qui devaient figurer comme témoins dans cette affaire ».

---

1. **Juge d'instruction qui instrumentait :** magistrat qui effectuait des actes d'enquête pour préparer le procès.
2. **Cour d'assises :** tribunal qui juge les crimes.
3. **Baïonnettes :** désigne, par métonymie, les soldats par l'arme qu'ils portent. Une baïonnette est un fusil qui se termine par une lame (la baïonnette proprement dite).
4. **Scélérats :** criminels.

Lorsqu'il fallut entamer les débats, il se présenta une difficulté singulière. Aucun des témoins des événements du 4 novembre ne voulait déposer[1] contre Claude. Le président les menaça de son pouvoir discrétionnaire[2]. Ce fut en vain. Claude alors leur commanda de déposer. Toutes les langues se délièrent. Ils dirent ce qu'ils avaient vu.

Claude les écoutait tous avec une profonde attention. Quand l'un d'eux, par oubli, ou par affection pour Claude, omettait[3] des faits à la charge de l'accusé, Claude les rétablissait.

De témoignage en témoignage, la série des faits que nous venons de développer se déroula devant la cour.

Il y eut un moment où les femmes qui étaient là pleurèrent. L'huissier appela le condamné Albin. C'était son tour de déposer. Il entra en chancelant ; il sanglotait. Les gendarmes ne purent empêcher qu'il n'allât tomber dans les bras de Claude. Claude le soutint et dit en souriant au procureur du roi :

— Voilà un scélérat qui partage son pain avec ceux qui ont faim.

Puis il baisa la main d'Albin.

La liste des témoins épuisée, monsieur le procureur du roi se leva et prit la parole en ces termes :

— Messieurs les jurés, la société serait ébranlée jusque dans ses fondements, si la vindicte publique[4] n'atteignait pas les grands coupables comme celui qui, etc.

Après ce discours mémorable, l'avocat de Claude parla. La plaidoirie contre et la plaidoirie pour[5] firent, chacune à leur tour, les évolutions qu'elles ont coutume de faire dans cette espèce d'hippodrome qu'on appelle un procès criminel.

Claude jugea que tout n'était pas dit. Il se leva à son tour. Il parla de telle sorte qu'une personne intelligente qui assistait à cette audience s'en revint frappée d'étonnement.

---

1. **Déposer :** témoigner.
2. **Pouvoir discrétionnaire :** pouvoir qui lui est accordé de prendre des mesures appropriées, ici des sanctions.
3. **Omettait :** taisait, s'abstenait de mentionner.
4. **Vindicte publique :** poursuite d'un crime au nom de la société.
5. **La plaidoirie contre et la plaidoirie pour :** le réquisitoire du procureur (il énumère les charges qui pèsent contre l'accusé) et le discours de l'avocat (il défend l'accusé).

Il paraît que ce pauvre ouvrier contenait bien plutôt un orateur qu'un assassin. Il parla debout, avec une voix pénétrante et bien ménagée, avec un œil clair, honnête et résolu, avec un geste presque toujours le même, mais plein d'empire. Il dit les choses comme elles étaient, simplement, sérieusement, sans charger ni amoindrir, convint de tout, regarda l'article 296[1] en face, et posa sa tête dessous. Il eut des moments de véritable haute éloquence qui faisaient remuer la foule, et où l'on se répétait à l'oreille dans l'auditoire ce qu'il venait de dire.

Cela faisait un murmure pendant lequel Claude reprenait haleine en jetant un regard fier sur les assistants.

Dans d'autres instants, cet homme qui ne savait pas lire était doux, poli, choisi, comme un lettré ; puis, par moments encore, modeste, mesuré, attentif, marchant pas à pas dans la partie irritante de la discussion, bienveillant pour les juges.

Une fois seulement, il se laissa aller à une secousse de colère. Le procureur du roi avait établi dans le discours que nous avons cité en entier que Claude Gueux avait assassiné le directeur des ateliers sans voie de fait ni violence de la part du directeur, par conséquent *sans provocation*.

— Quoi ! s'écria Claude, je n'ai pas été provoqué ! Ah ! oui, vraiment, c'est juste, je vous comprends. Un homme ivre me donne un coup de poing, je le tue, j'ai été provoqué, vous me faites grâce, vous m'envoyez aux galères. Mais un homme qui n'est pas ivre et qui a toute sa raison me comprime le cœur pendant quatre ans, m'humilie pendant quatre ans, me pique tous les jours, toutes les heures, toutes les minutes, d'un coup d'épingle à quelque place inattendue pendant quatre ans ! J'avais une femme pour qui j'ai volé, il me torture avec cette femme ; j'avais un enfant pour qui j'ai volé, il me torture avec cet enfant ; je n'ai pas assez de pain, un ami m'en donne, il m'ôte mon ami et mon pain. Je redemande mon ami, il me met au cachot. Je lui dis *vous*, à lui mouchard[2], il me dit *tu*. Je lui dis que je souffre, il me dit que je l'ennuie. Alors que voulez-vous que je fasse ? Je le tue. C'est bien, je suis un monstre, j'ai tué cet homme, je n'ai pas été provoqué, vous me coupez la tête. Faites.

---

1. **Article 296 :** selon cet article du Code pénal, tout meurtre commis avec préméditation ou guet-apens est qualifié d'assassinat. Il est, à cette époque, puni de mort.
2. **Mouchard :** espion de police.

95   Mouvement sublime, selon nous, qui faisait tout à coup surgir, au-dessus du système de la provocation matérielle, sur lequel s'appuie l'échelle mal proportionnée des circonstances atténuantes[1], toute une théorie de la provocation morale oubliée par la loi.

Les débats fermés, le président fit son résumé impartial et
100 lumineux. Il en résulta ceci. Une vilaine vie. Un monstre en effet. Claude Gueux avait commencé par vivre en concubinage[2] avec une fille publique, puis il avait volé, puis il avait tué. Tout cela était vrai.

Au moment d'envoyer les jurés dans leur chambre, le président
105 demanda à l'accusé s'il avait quelque chose à dire sur la position des questions.

— Peu de chose, dit Claude. Voici, pourtant. Je suis un voleur et un assassin ; j'ai volé et tué. Mais pourquoi ai-je volé ? pourquoi ai-je tué ? Posez ces deux questions à côté des autres, messieurs
110 les jurés.

Après un quart d'heure de délibération, sur la déclaration des douze champenois[3] qu'on appelait *messieurs les jurés*, Claude Gueux fut condamné à mort.

Il est certain que, dès l'ouverture des débats, plusieurs d'entre
115 eux avaient remarqué que l'accusé s'appelait *Gueux*[4], ce qui leur avait fait une impression profonde.

On lut son arrêt à Claude, qui se contenta de dire :

— *C'est bien. Mais pourquoi cet homme a-t-il volé ? Pourquoi cet homme a-t-il tué ? Voilà deux questions auxquelles ils ne répondent
120 pas.*

---

1. **Circonstances atténuantes :** éléments du contexte qui diminuent la gravité d'un crime.
2. **Concubinage :** vie conjugale mais non maritale.
3. **Champenois :** habitants de la Champagne (région dans laquelle se trouve la ville de Troyes).
4. **Gueux :** pauvre réduit à la mendicité.

Clefs d'analyse

Action et personnages

1. « Quand Claude reprit connaissance... » : que s'est-il passé dans l'ellipse ?

2. « Les ciseaux avec lesquels il avait eu la superstition touchante de se frapper avaient mal fait leur devoir » (l. 7-9). De quelle « superstition touchante » s'agit-il ? En quoi consistait le « devoir » des ciseaux ? Quel sens prend désormais la blague que Claude avait faite à Ferrari : « Ce soir je couperai ces barreaux-ci avec ces ciseaux-là » (l. 16, p. 36) ?

3. Expliquez en quoi les blessures qu'il avait faites à M. D. sont aussi « mortelles » pour Claude Gueux (l. 10).

4. À quelle date le procès a-t-il lieu ? Combien de temps s'est-il passé depuis le crime ?

5. Comment Claude se comporte-t-il pendant le procès ? Justifiez votre réponse en vous appuyant sur le texte.

6. Qui du président ou de Claude parvient à faire déposer les témoins du crime ? Pour quelle raison selon vous ?

Langue

1. Relevez une intervention du narrateur destinée à accélérer son récit. À quel mode, quel temps et quelle personne le verbe est-il conjugué ?

2. « Voilà un scélérat qui partage son pain avec ceux qui ont faim » (l. 47). Analysez l'emploi du mot « scélérat » dans cette phrase. Justifiez votre réponse en vous appuyant sur l'attitude de Claude.

3. Relevez dans le résumé du président le connecteur logique qu'il emploie. Réécrivez la proposition du juge en employant un autre connecteur de même sens et en faisant les transformations nécessaires.

Clefs d'analyse De : « Quand Claude reprit connaissance »
à : « Voilà deux questions auxquelles ils ne répondent pas ».

Genre ou thèmes

1. Comment le discours du procureur est-il qualifié par le narrateur
(l. 54) ? Qu'en pensez-vous ? Justifiez votre réponse en vous
appuyant sur le contexte. À quoi le « procès criminel » est-il
comparé ?

2. Au procès, en quoi l'intervention de Claude est-elle
remarquable ? Relevez les qualités que lui attribue le narrateur.

3. Relisez la phrase qui va de : « Mouvement sublime... » jusqu'à :
« ... toute une théorie de la provocation morale oubliée par la
loi » (l. 95-98). À quelle « provocation matérielle » et à quelle
« provocation morale » Claude fait-il référence dans le même
paragraphe ? Que pense l'auteur de la démonstration de
Claude ? Dans quelle mesure le point de vue de l'auteur est-il
politique ?

4. Relevez les deux questions que pose Claude Gueux en réaction
au résumé du président. Relevez dans la suite du texte ces deux
questions reformulées. Que remarquez-vous ? Quel est le but
recherché par l'auteur ? Appuyez-vous sur votre réponse à la
question de Langue n° 3.

Écriture

1. Selon vous, une provocation morale peut-elle avoir des
conséquences plus fâcheuses qu'une provocation matérielle ?
Argumentez en vous appuyant sur des exemples précis.

✳ À retenir

Le procès confirme le détachement et la maîtrise de
Claude. Non seulement il ne conteste rien des faits qui
lui sont reprochés, mais en plus il se montre un orateur
si convaincant qu'il éclipse le procureur et son avocat.
Le seul point qu'il discute est la notion de « provocation
morale ». L'auteur en profite pour s'adresser au
législateur et lui suggérer de réviser la loi.

Rentré dans la prison, il soupa gaiement et dit :

— Trente-six ans de faits !

Il ne voulut pas se pourvoir en cassation[1]. Une des sœurs qui l'avaient soigné vint l'en prier avec larmes. Il se pourvut par complaisance pour elle. Il paraît qu'il résista jusqu'au dernier instant, car, au moment où il signa son pourvoi sur le registre du greffe[2], le délai légal des trois jours était expiré depuis quelques minutes.

La pauvre fille reconnaissante lui donna cinq francs. Il prit l'argent et la remercia.

Pendant que son pourvoi pendait, des offres d'évasion lui furent faites par les prisonniers de Troyes, qui s'y dévouaient tous. Il refusa.

Les détenus jetèrent successivement dans son cachot, par le soupirail, un clou, un morceau de fil de fer et une anse de seau. Chacun de ces trois outils eût suffi, à un homme aussi intelligent que l'était Claude, pour limer ses fers. Il remit l'anse, le fil de fer et le clou au guichetier[3].

Le 8 juin 1832, sept mois et quatre jours après le fait, l'expiation[4] arriva, *pede claudo*[5], comme on voit. Ce jour-là, à sept heures du matin, le greffier du tribunal entra dans le cachot de Claude, et lui annonça qu'il n'avait plus qu'une heure à vivre.

Son pourvoi était rejeté.

— Allons, dit Claude froidement, j'ai bien dormi cette nuit, sans me douter que je dormirais encore mieux la prochaine.

Il paraît que les paroles des hommes forts doivent toujours recevoir de l'approche de la mort une certaine grandeur.

Le prêtre arriva, puis le bourreau. Il fut humble avec le prêtre, doux avec l'autre. Il ne refusa ni son âme, ni son corps.

---

1. **Se pourvoir en cassation :** demander à la Cour de cassation de vérifier les règles de procédure d'un jugement afin de l'annuler (ou le « casser ») éventuellement.
2. **Greffe :** bureau où sont conservés les actes de procédure.
3. **Guichetier :** gardien employé au guichet (ouverture dans la porte permettant de surveiller le prisonnier et de lui passer de la nourriture).
4. **Expiation :** dans le vocabulaire chrétien, châtiment destiné à réparer une faute.
5. ***Pede claudo :*** « d'un pied boiteux », citation d'Horace, poète latin du Ier siècle avant J.-C.

Il conserva une liberté d'esprit parfaite. Pendant qu'on lui coupait les cheveux, quelqu'un parla, dans un coin du cachot, du choléra[1] qui menaçait Troyes en ce moment.

– Quant à moi, dit Claude avec un sourire, je n'ai pas peur du choléra.

Il écoutait d'ailleurs le prêtre avec une attention extrême, en s'accusant beaucoup et en regrettant de n'avoir pas été instruit dans la religion.

Sur sa demande, on lui avait rendu les ciseaux avec lesquels il s'était frappé. Il y manquait une lame, qui s'était brisée dans sa poitrine. Il pria le geôlier de faire porter de sa part ces ciseaux à Albin. Il dit aussi qu'il désirait qu'on ajoutât à ce legs[2] la ration de pain qu'il aurait dû manger ce jour-là.

Il pria ceux qui lui lièrent les mains de mettre dans sa main droite la pièce de cinq francs que lui avait donnée la sœur, la seule chose qui lui restât désormais.

À huit heures moins un quart, il sortit de la prison, avec tout le lugubre cortège ordinaire des condamnés. Il était à pied, pâle, l'œil fixé sur le crucifix du prêtre, mais marchant d'un pas ferme.

On avait choisi ce jour-là pour l'exécution, parce que c'était jour de marché, afin qu'il y eût le plus de regards possible sur son passage ; car il paraît qu'il y a encore en France des bourgades à demi sauvages où, quand la société tue un homme, elle s'en vante.

Il monta sur l'échafaud gravement, l'œil toujours fixé sur le gibet du Christ[3]. Il voulut embrasser le prêtre, puis le bourreau, remerciant l'un, pardonnant à l'autre. Le bourreau *le repoussa doucement*, dit une relation. Au moment où l'aide le liait sur la hideuse mécanique, il fit signe au prêtre de prendre la pièce de cinq francs qu'il avait dans sa main droite, et lui dit :

– *Pour les pauvres.*

Comme huit heures sonnaient en ce moment, le bruit du beffroi[4] de l'horloge couvrit sa voix, et le confesseur lui répondit

---

1. **Choléra :** maladie infectieuse très grave. Une épidémie de choléra ravagea l'Europe en 1832.
2. **Legs :** don par héritage.
3. **Le gibet du Christ :** la potence est ici comparée à la croix du Christ.
4. **Beffroi :** tour de l'église qui abrite les cloches.

qu'il n'entendait pas. Claude attendit l'intervalle de deux coups et répéta avec douceur :

— *Pour les pauvres.*

Le huitième coup n'était pas encore sonné que cette noble et intelligente tête était tombée.

Admirable effet des exécutions publiques ! ce jour-là même, la machine étant encore debout au milieu d'eux et pas lavée, les gens du marché s'ameutèrent[1] pour une question de tarif et faillirent massacrer un employé de l'octroi[2]. Le doux peuple que vous font ces lois-là !

---

1. **S'ameutèrent :** se rassemblèrent telle une meute.
2. **Octroi :** impôt payé par les marchands sur certains de leurs produits à l'entrée d'une ville.

Clefs d'analyse

Action et personnages

1. Que fait Claude Gueux quand il rentre en prison ?

2. Claude désire-t-il se pourvoir en cassation ? Pourquoi le fait-il finalement ? Le pourvoi lui sera-t-il accordé ?

3. Claude désire-t-il s'évader ? Les autres prisonniers souhaitent-ils qu'il le fasse ? Comment Claude réagit-il à leurs offres ?

4. À quel moment précisément Claude apprend-il la date et l'heure de son exécution ? Combien de temps lui reste-t-il à vivre ? Combien de temps s'est écoulé depuis le crime ? Et depuis le début du procès ? Quelle expression marque la lenteur de la justice ?

5. « Il ne refusa ni son âme, ni son corps » (l. 28). Expliquez le sens de cette phrase en vous aidant du contexte.

6. Bien que sa vie soit sur le point de lui être retirée, que conserve Claude jusqu'au bout ?

7. Citez les deux phrases de Claude qui montrent qu'il se prépare avec un certain humour à sa décapitation.

8. Que laisse Claude à Albin ? Quelle est la signification de chacun de ces legs ?

9. Quelles sont les actions accomplies par Claude Gueux juste avant d'être guillotiné qui marquent sa grandeur d'âme ?

10. Quel bruit couvre l'exécution de Claude ? Dans quelle autre scène primordiale du récit un son comparable s'est fait entendre ?

11. Le récit relate-t-il l'instant de la décapitation ? Justifiez votre réponse.

Langue

1. Transformez à la voix active : « des offres d'évasion lui furent faites par les prisonniers de Troyes ».

2. « Il dit aussi qu'il désirait qu'on ajoutât à ce legs la ration de pain qu'il aurait dû manger ce jour-là » (l. 40-41). Réécrivez cette phrase au discours direct.

3. Que désigne l'expression « hideuse mécanique » (l. 55-56) ?

**De : « Rentré dans la prison »
à : « Le doux peuple que vous font ces lois-là ! »**

Genre ou thèmes

1. Dans le dernier paragraphe qui va de : « Admirable effet.. » à : « ... ces lois-là ! », résumez ce qui se produit avec les gens du marché. Relevez les deux interventions du narrateur et expliquez-les.

Écriture

1. Imaginez qu'interrogé par un journaliste de la presse écrite, le bourreau décrive l'attitude de Claude avant son exécution. Il la compare avec d'autres condamnés qu'il a exécutés et donne son point de vue sur un tel homme. Rédigez l'entretien sous forme de dialogue théâtral.

Pour aller plus loin

1. Cherchez des discours de Robert Badinter, le ministre de la Justice qui a fait voter l'abolition de la peine de mort en 1981, et relevez les arguments qu'il a utilisés. Vous lirez des extraits choisis à vos camarades et, sous forme d'exposé, résumerez et commenterez ses arguments.

✷ À retenir

L'attitude du criminel est de plus en plus exemplaire. Totalement calme, bienveillant et charitable avec tous, il approche de la mort avec une « liberté d'esprit parfaite ». Cette glorification du personnage jusqu'à son trépas a pour effet de dénoncer en creux la violence de la société et des lois qui la gouvernent.

Claude Gueux

Nous avons cru devoir raconter en détail l'histoire de Claude Gueux, parce que, selon nous, tous les paragraphes de cette histoire pourraient servir de têtes de chapitre au livre où serait résolu le grand problème du peuple au dix-neuvième siècle.

Dans cette vie importante il y a deux phases principales : avant la chute, après la chute ; et, sous ces deux phases, deux questions : question de l'éducation, question de la pénalité[1] ; et, entre ces deux questions, la société tout entière.

Cet homme, certes, était bien né, bien organisé, bien doué. Que lui a-t-il donc manqué ? Réfléchissez.

C'est là le grand problème de proportion dont la solution, encore à trouver, donnera l'équilibre universel : *Que la société fasse toujours pour l'individu autant que la nature.*

Voyez Claude Gueux. Cerveau bien fait, cœur bien fait, sans nul doute. Mais le sort le met dans une société si mal faite qu'il finit par voler ; la société le met dans une prison si mal faite qu'il finit par tuer.

Qui est réellement coupable ?

Est-ce lui ?

Est-ce nous ?

Questions sévères, questions poignantes, qui sollicitent à cette heure toutes les intelligences, qui nous tirent tous tant que nous sommes par le pan de notre habit, et qui nous barreront un jour si complètement le chemin qu'il faudra bien les regarder en face et savoir ce qu'elles nous veulent.

Celui qui écrit ces lignes essaiera de dire bientôt peut-être de quelle façon il les comprend.

Quand on est en présence de pareils faits, quand on songe à la manière dont ces questions nous pressent, on se demande à quoi pensent ceux qui gouvernent, s'ils ne pensent pas à cela.

Les Chambres[2], tous les ans, sont gravement occupées.

---

1. **Pénalité :** système des peines établi par la loi.
2. **Les Chambres :** la Chambre des pairs et la Chambre des députés sont deux assemblées instituées sous la Restauration et dont le rôle est de voter le budget et les lois.

Il est sans doute très important de désenfler les sinécures[1] et d'écheniller le budget[2] ; il est très important de faire des lois pour que j'aille, déguisé en soldat, monter patriotiquement la garde à la porte de M. le comte de Lobau[3], que je ne connais pas et que je ne veux pas connaître, ou pour me contraindre à parader au carré Marigny[4], sous le bon plaisir de mon épicier, dont on a fait mon officier[5].

Il est important, députés ou ministres, de fatiguer et de tirailler toutes les choses et toutes les idées de ce pays dans des discussions pleines d'avortements[6] ; il est essentiel, par exemple, de mettre sur la sellette[7] et d'interroger et de questionner à grands cris, et sans savoir ce qu'on dit, l'art du dix-neuvième siècle, ce grand et sévère accusé qui ne daigne[8] pas répondre et qui fait bien ; il est expédient[9] de passer son temps, gouvernants et législateurs, en conférences classiques qui font hausser les épaules aux maîtres d'école de la banlieue ; il est utile de déclarer que c'est le drame moderne qui a inventé l'inceste, l'adultère, le parricide, l'infanticide[10] et l'empoisonnement, et de prouver par là qu'on ne

---

1. **Désenfler les sinécures :** supprimer les emplois considérés comme inutiles.
2. **Écheniller le budget :** au sens propre, débarrasser un arbre des chenilles ; au sens figuré, supprimer les postes budgétaires considérés comme inutiles.
3. **Le comte de Lobau :** commandant de la Garde nationale, célèbre pour avoir dispersé une manifestation bonapartiste avec des lances d'incendie, à Paris, le 5 mai 1831.
4. **Carré Marigny :** section des jardins des Champs-Élysées située non loin du palais de l'Élysée, à Paris.
5. Il va sans dire que nous n'entendons pas attaquer ici la patrouille urbaine, chose utile, qui garde la rue, le seuil et le foyer ; mais seulement la parade, le pompon, la gloriole et le tapage militaire, choses ridicules, qui ne servent qu'à faire du bourgeois une parodie du soldat (note de Hugo).
6. **Pleines d'avortements :** qui ne vont pas jusqu'à leur terme.
7. **Mettre sur la sellette :** prendre comme sujet de discussion.
8. **Daigne :** consent.
9. **Expédient :** utile.
10. **Le parricide, l'infanticide :** le meurtre du père, le meurtre de l'enfant (le suffixe –*cide* signifiant « qui tue »).

50 connaît ni Phèdre, ni Jocaste, ni Œdipe, ni Médée, ni Rodogune[1] ; il
est indispensable que les orateurs politiques de ce pays ferraillent[2],
trois grands jours durant, à propos du budget, pour Corneille et
Racine[3], contre on ne sait qui, et profitent de cette occasion littéraire pour s'enfoncer les uns les autres à qui mieux mieux[4] dans la
55 gorge de grandes fautes de français jusqu'à la garde.

Tout cela est important ; nous croyons cependant qu'il pourrait y
avoir des choses plus importantes encore.

---

1. **Phèdre, Jocaste, Œdipe, Médée, Rodogune :** personnages issus de la mythologie
   et de l'histoire antiques et ayant inspiré des tragédies : Phèdre aime son beau-fils
   et provoque sa mort ; Jocaste épouse son fils Œdipe, lequel a tué son propre père ;
   Médée tue ses propres enfants ; Rodogune suscite tant la jalousie de Cléopâtre
   que celle-ci finit par se suicider.
2. **Ferraillent :** se battent.
3. **Corneille et Racine :** deux auteurs dramatiques du XVIIe siècle, particulièrement
   célèbres pour leurs tragédies.
4. **À qui mieux mieux :** à qui fera mieux que l'autre.

Clefs d'analyse

Action et personnages

1. Entre les lignes 1 et 27, relevez les différentes occurrences du pronom personnel « nous » et classez-les selon qui il représente. Relevez dans le même passage une autre expression qui désigne l'auteur.

2. Relisez le passage des lignes 5 à 8. De quelle « vie importante » et de quelle « chute » s'agit-il ? Précisez le rôle que jouent « la question de l'éducation » et la « question de la pénalité » dans l'histoire de Claude Gueux. L'auteur met-il davantage en cause le criminel ou la « société tout entière » ?

3. Relevez quatre phrases dans lesquelles l'auteur s'adresse directement au lecteur.

4. Que reproche précisément Hugo aux ministres ou députés dans le passage qui va de : « Il est important, députés ou ministres » à : « la garde » (l. 39-55) ?

Langue

1. « Que la société fasse toujours pour l'individu autant que la nature » (l. 12-13). Précisez le mode du verbe et justifiez son emploi.

2. Relevez les différents procédés par lesquels l'auteur met en valeur le mot « questions » dans le paragraphe qui va de la ligne 21 à la ligne 25.

3. Dans les deux paragraphes qui vont de la ligne 32 à la ligne 55, relevez les tournures impersonnelles et justifiez leur emploi. Quel est l'adverbe qui exprime la même idée dans la première phrase ?

Genre ou thèmes

1. La première phrase expose clairement le projet littéraire de l'auteur pour cette nouvelle. Quel est-il ?

2. Expliquez en quoi consiste l'« équilibre universel » (l. 12) qu'appelle Hugo de ses vœux. Dans le paragraphe suivant, par quels procédés littéraires l'auteur illustre-t-il cette idée ?

Clefs d'analyse

3. Dans le paragraphe qui va de la ligne 31 à la ligne 38, précisez quelles sont les deux priorités du travail de la Chambre. En vous aidant de votre réponse à la question de Langue n°3, précisez si l'auteur trouve ces priorités pertinentes.

4. Dans le paragraphe suivant, résumez chacun des sujets de débat abordés par la Chambre. Relevez les expressions qui marquent la distance prise par l'auteur avec de tels débats.

Écriture

1. En vous appuyant sur le paragraphe qui va de la ligne 39 à la ligne 55, rédigez le discours d'un député à la Chambre qui reprendrait tous les sujets de débats évoqués par l'auteur. Vous recourrez à la rhétorique afin de rendre sa parole la plus convaincante possible.

Pour aller plus loin

1. Faites une recherche documentaire sur Phèdre, Jocaste, Médée, Œdipe et Rodogune. Présentez ces personnages à vos camarades sous la forme d'un exposé.

2. Indépendamment de vos convictions politiques, cherchez le discours d'un député contemporain à l'Assemblée et analysez les procédés rhétoriques qu'il emploie.

3. Présentez les thèmes qui ont été abordés par les députés lors de la dernière session de l'Assemblée nationale.

✳ À retenir

Le texte change ici de nature : le récit cède la place au discours et l'auteur supplante le narrateur pour conclure. Au-delà du cas d'un individu, *Claude Gueux* se présente comme un récit édifiant qui traite de la question générale de la misère. L'auteur fustige la société et l'invite à se soucier davantage d'éducation. Il attaque avec ironie la vanité des débats à la Chambre.

Que dirait la Chambre[1], au milieu des futiles démêlés qui font si souvent colleter[2] le ministère par l'opposition et l'opposition par le ministère, si, tout à coup, des bancs de la Chambre ou de la tribune publique, qu'importe ? quelqu'un se levait et disait ces sérieuses paroles :

— Taisez-vous, monsieur Mauguin, taisez-vous monsieur Thiers ! vous croyez être dans la question, vous n'y êtes pas. La question, la voici. La justice vient, il y a un an à peine, de déchiqueter un homme à Pamiers[3] avec un eustache[4] ; à Dijon, elle vient d'arracher la tête à une femme ; à Paris, elle fait, barrière Saint-Jacques[5], des exécutions inédites. Ceci est la question. Occupez-vous de ceci. Vous vous querellerez après pour savoir si les boutons de la Garde nationale[6] doivent être blancs ou jaunes, et si l'*assurance* est une plus belle chose que la *certitude*.

Messieurs des centres, messieurs des extrémités, le gros du peuple souffre ! Que vous l'appeliez république ou que vous l'appeliez monarchie, le peuple souffre, ceci est un fait.

Le peuple a faim, le peuple a froid. La misère le pousse au crime ou au vice, selon le sexe. Ayez pitié du peuple, à qui le bagne prend ses fils, et le lupanar[7] ses filles. Vous avez trop de forçats[8], vous avez trop de prostituées. Que prouvent ces deux ulcères[9] ? Que le corps social a un vice dans le sang. Vous voilà réunis en consultation au chevet du malade ; occupez-vous de la maladie.

---

1. **La Chambre :** la Chambre des pairs et la Chambre des députés sont deux assemblées instituées sous la Restauration et dont le rôle est de voter le budget et les lois.
2. **Colleter :** saisir par le col, attaquer.
3. **Pamiers :** ville du département de l'Ariège.
4. **Eustache** *:* petit couteau à cran d'arrêt.
5. **Barrière Saint-Jacques :** ancien nom de la place Saint-Jacques (Paris, XIVe arrondissement).
6. **La Garde nationale :** nom donné lors de la Révolution à la milice de citoyens formée dans chaque ville.
7. **Lupanar :** maison de prostitution.
8. **Forçats :** condamnés aux travaux forcés, bagnards.
9. **Ulcères :** plaies.

Cette maladie, vous la traitez mal. Étudiez-là mieux. Les lois que
25 vous faites, quand vous en faites, ne sont que des palliatifs[1] et des
expédients[2]. Une moitié de vos codes est routine, l'autre moitié
empirisme[3]. La flétrissure[4] était une cautérisation[5] qui gangrenait[6]
la plaie ; peine insensée que celle qui pour la vie scellait et rivait le
crime sur le criminel ! qui en faisait deux amis, deux compagnons,
30 deux inséparables ! Le bagne est un vésicatoire[7] absurde qui
laisse résorber, non sans l'avoir rendu pire encore, presque tout le
mauvais sang qu'il extrait. La peine de mort est une amputation
barbare.

Or, flétrissure, bagne, peine de mort, trois choses qui se tiennent.
35 Vous avez supprimé la flétrissure ; si vous êtes logiques, supprimez
le reste. Le fer rouge, le boulet et le couperet[8], c'étaient les trois
parties d'un syllogisme[9]. Vous avez ôté le fer rouge ; le boulet et le
couperet n'ont plus de sens. Farinace[10] était atroce ; mais il n'était
pas absurde.

40 Démontez-moi cette vieille échelle boiteuse des crimes et des
peines, et refaites-la. Refaites votre pénalité, refaites vos codes,
refaites vos prisons, refaites vos juges. Remettez les lois au pas des
mœurs.

Messieurs, il se coupe trop de têtes par an en France. Puisque
45 vous êtes en train de faire des économies, faites-en là-dessus.

---

1. **Palliatifs** : remèdes qui soulagent provisoirement un mal sans pour autant le
   guérir.
2. **Expédients** : ressources passagères qui ne délivrent que momentanément d'un
   embarras.
3. **Empirisme** : fruit de l'expérience et non d'une réflexion sur des principes.
4. **Flétrissure** : marque au fer rouge sur le corps des bagnards.
5. **Cautérisation** : application du fer rouge sur une plaie, généralement pour stopper
   une hémorragie.
6. **Gangrenait** : aggravait l'infection, empoisonnait.
7. **Vésicatoire** : technique médicale qui consiste à former des ampoules sur la peau
   afin de drainer l'organisme de ses substances toxiques.
8. **Le fer rouge, le boulet et le couperet** : ces trois objets emblématiques désignent
   par métaphore la flétrissure, le bagne et la peine de mort.
9. **Syllogisme** : raisonnement logique concluant au rapport mutuel entre deux
   termes avec un même troisième (exemple : « Tous les hommes sont mortels, or
   Socrate est un homme, donc Socrate est mortel. »).
10. **Farinace** : magistrat romain impitoyable du XVIe siècle.

Puisque vous êtes en verve de suppressions, supprimez le bourreau. Avec la solde[1] de vos quatre-vingts bourreaux, vous payerez six cents maîtres d'école.

Songez au gros du peuple. Des écoles pour les enfants, des ateliers pour les hommes. Savez-vous que la France est un des pays de l'Europe où il y a le moins de natifs qui sachent lire ! Quoi ! la Suisse sait lire, la Belgique sait lire, le Danemark sait lire, la Grèce sait lire, l'Irlande sait lire, et la France ne sait pas lire ? c'est une honte.

Allez dans les bagnes. Appelez autour de vous toute la chiourme[2]. Examinez un à un tous ces damnés de la loi humaine. Calculez l'inclinaison de tous ces profils, tâtez tous ces crânes. Chacun de ces hommes tombés a au-dessous de lui son type bestial ; il semble que chacun d'eux soit le point d'intersection de telle ou telle espèce animale avec l'humanité. Voici le loup-cervier[3], voici le chat, voici le singe, voici le vautour, voici la hyène. Or, de ces pauvres têtes mal conformées, le premier tort est à la nature sans doute, le second à l'éducation. La nature a mal ébauché, l'éducation a mal retouché l'ébauche. Tournez vos soins de ce côté. Une bonne éducation au peuple. Développez de votre mieux ces malheureuses têtes, afin que l'intelligence qui est dedans puisse grandir. Les nations ont le crâne bien ou mal fait selon leurs institutions. Rome et la Grèce avaient le front haut. Ouvrez le plus que vous pourrez l'angle facial du peuple.

Quand la France saura lire, ne laissez pas sans direction cette intelligence que vous aurez développée. Ce serait un autre désordre. L'ignorance vaut encore mieux que la mauvaise science. Non. Souvenez-vous qu'il y a un livre plus philosophique que *Le Compère Mathieu*[4], plus populaire que *Le Constitutionnel*[5], plus éternel que la charte de 1830[6] ; c'est l'Écriture sainte[7]. Et ici un

---

1. **Solde :** rémunération versée en général aux militaires.
2. **La chiourme :** l'ensemble des forçats d'un bagne.
3. **Loup-cervier :** autre nom du lynx.
4. **Le Compère Mathieu :** roman satirique publié en 1765 qui critique la religion.
5. **Le Constitutionnel :** journal partisan de la monarchie de Juillet.
6. **La charte de 1830 :** Constitution du gouvernement de Juillet qui fixe le fonctionnement de la monarchie constitutionnelle.
7. **L'Écriture sainte :** la Bible.

mot d'explication. Quoi que vous fassiez, le sort de la grande foule, de la multitude, de la *majorité*, sera toujours relativement pauvre, et malheureux, et triste. À elle le dur travail, les fardeaux[1] à pousser, les fardeaux à traîner, les fardeaux à porter. Examinez cette balance : toutes les jouissances dans le plateau du riche, toutes les misères dans le plateau du pauvre. Les deux parts ne sont-elles pas inégales ? La balance ne doit-elle pas nécessairement pencher, et l'État avec elle ? Et maintenant dans le lot du pauvre, dans le plateau des misères, jetez la certitude d'un avenir céleste, jetez l'aspiration au bonheur éternel, jetez le paradis, contre-poids[2] magnifique ! Vous rétablissez l'équilibre. La part du pauvre est aussi riche que la part du riche. C'est ce que savait Jésus, qui en savait plus long que Voltaire[3].

Donnez au peuple qui travaille et qui souffre, donnez au peuple, pour qui ce monde-ci est mauvais, la croyance à un meilleur monde fait pour lui. Il sera tranquille, il sera patient. La patience est faite d'espérance.

Donc ensemencez les villages d'évangiles. Une bible par cabane. Que chaque livre et chaque champ produisent à eux deux un travailleur moral.

La tête de l'homme du peuple, voilà la question. Cette tête est pleine de germes utiles. Employez pour la faire mûrir et venir à bien ce qu'il y a de plus lumineux et de mieux tempéré[4] dans la vertu. Tel a assassiné sur les grandes routes, qui, mieux dirigé, eût été le plus excellent serviteur de la cité. Cette tête de l'homme du peuple, cultivez-la, défrichez-la, arrosez-la, fécondez-la, éclairez-la, moralisez-la, utilisez-la ; vous n'aurez pas besoin de la couper.

---

1. **Les fardeaux :** les charges lourdes.
2. **Contre-poids :** on l'écrit aujourd'hui en un mot.
3. **Voltaire :** philosophe des Lumières, anticlérical.
4. **Tempéré :** mesuré.

Clefs d'analyse

Action et personnages

1. « Le peuple a faim, le peuple a froid. La misère le pousse au crime ou au vice, selon le sexe » (l. 18-19). À quels événements du récit ces phrases font-elles référence ?

Langue

1. Relevez dans le premier paragraphe deux groupes nominaux antithétiques. Précisez à qui se rapporte chacun d'eux. Quel but l'auteur poursuit-il avec cette opposition ?
2. Précisez les valeurs des présents dans les phrases citées dans la question 1.
3. Dans le passage qui va de : « Que prouvent ces deux ulcères ? » à : « amputation barbare » (l. 21-33), relevez le champ lexical de la maladie.
4. « Le fer rouge, le boulet et le couperet » (l. 36). Identifiez cette figure de style.
5. Relevez les mots et expressions qui filent la métaphore de la tête de la ligne 67 à la ligne 69 et expliquez-les.
6. Dans le passage qui va de : « Quand la France saura lire » à : « un mot d'explication » (l. 70-76), relevez les procédés qui relèvent de la rhétorique.
7. Dans le passage qui va de : « cultivez-la » à : « utilisez-la » (l. 101-102), quelle est la figure de style utilisée ? Dans quel but ? À quel mode les verbes sont-ils conjugués ? Réécrivez ce passage en le mettant à la deuxième personne du singulier.

Genre ou thèmes

1. Sur quelle opposition le paragraphe qui va de : « Taisez-vous, monsieur Mauguin » à : « la certitude » (l. 6-14) est-il construit ? Appuyez vous précisément sur le texte pour répondre.
2. Dans le passage des lignes 27-33, expliquez les arguments de l'auteur pour condamner la flétrissure, le bagne et la peine de mort. Sur quel argument supplémentaire l'auteur s'appuie-t-il pour inciter les députés à abolir le bagne et la peine de mort ?

Clefs d'analyse

De : « Que dirait la Chambre »
à la fin.

3. Lignes 44-48, par quelle profession Hugo propose-t-il de remplacer les bourreaux ? D'après les chiffres qu'il cite, qu'en déduisez-vous des priorités politiques du gouvernement de son époque ?

4. Quelle est la spécificité de la France par rapport aux autres pays européens cités ?

5. L'auteur propose-t-il une solution pour supprimer les « fardeaux » du peuple ou pour les alléger ? Justifiez votre réponse en citant le texte. En quoi cette solution consiste-t-elle ?

6. Dans la dernière phrase, la « tête » est-elle prise au sens propre ou au sens figuré ? Justifiez votre réponse.

Écriture

1. En partant des exemples d'animaux cités aux lignes 58 à 61, rédigez cinq portraits de bagnards. Chaque portrait sera physique et moral, et respectera les caractéristiques de son animal de référence.

2. Relisez le passage qui va de : « Donnez au peuple qui travaille... » à : « La patience est faite d'espérance » (l. 89-92). Qu'en pensez-vous ?

Pour aller plus loin

1. Développez trois arguments en faveur de la peine de mort et trois arguments qui s'y opposent et concluez en donnant votre opinion.

✳ À retenir

Pour conclure, l'auteur imagine un citoyen anonyme interpellant les députés. Il défend l'abolition de la peine de mort à la suite de celle de la flétrissure. Il vante la nécessaire lutte contre l'analphabétisme. Son discours regorge d'images. Au sens propre de la tête que tranche la guillotine, il préfère le sens figuré : il convient d'éduquer ce précieux siège de la pensée.

Claude Gueux.
Illustration de Louis Édouard Rioult.

Le genre

Cochez la (ou les) bonne(s) réponse(s).

1. *Claude Gueux* s'inspire :
   ☐ d'un fait divers
   ☐ d'une pièce de théâtre
   ☐ d'une œuvre philosophique

2. *Claude Gueux* est :
   ☐ une nouvelle
   ☐ un roman
   ☐ un essai

3. *Claude Gueux* est un récit :
   ☐ à la première personne
   ☐ à la troisième personne
   ☐ à la troisième personne et parfois à la première personne

4. **Le discours final s'adresse principalement :**
   ☐ aux députés
   ☐ aux prisonniers
   ☐ aux condamnés

L'auteur

Cochez la (ou les) bonne(s) réponse(s).

1. **Victor Hugo est :**
   ☐ un philosophe des Lumières
   ☐ un homme d'Église qui écrit
   ☐ un écrivain et un homme politique

2. **Victor Hugo est :**
   ☐ poète
   ☐ dramaturge
   ☐ nouvelliste
   ☐ romancier

3. **Victor Hugo est aussi :**
   ☐ maire
   ☐ député
   ☐ Premier ministre

4. **L'autre livre célèbre de Victor Hugo sur la peine de mort s'intitule :**
   ☐ *Les Derniers Jours d'un condamné*
   ☐ *Le Dernier Jour d'un condamné*
   ☐ *Le Journal d'un condamné à mort*

Les thèmes

Cochez la (ou les) bonne(s) réponse(s).

1. **Les thèmes traités dans le livre sont :**
   ☐ la misère
   ☐ le racisme
   ☐ la justice
   ☐ la guerre
   ☐ la santé publique
   ☐ l'éducation

2. **Victor Hugo est :**
   ☐ favorable à la peine de mort et aux peines infamantes
   ☐ favorable aux peines infamantes et hostile à la peine de mort
   ☐ hostile à la peine de mort et aux peines infamantes

3. **Dans *Claude Gueux*, il est fait référence à :**
   ☐ *Les Misérables* de Victor Hugo
   ☐ *Émile* de Jean-Jacques Rousseau
   ☐ La Bible

Les personnages

1. **Cochez la (ou les) bonne(s) réponse(s).**

a. **Claude Gueux est :**
   ☐ ouvrier
   ☐ paysan
   ☐ prêtre

b. **Sa compagne et lui ont :**
   ☐ un garçon
   ☐ une fille
   ☐ un enfant dont on ignore le sexe

c. **M. D. est :**
   ☐ directeur de la prison
   ☐ directeur de l'atelier
   ☐ simple geôlier

d. **L'autorité de Claude est :**
   ☐ naturelle
   ☐ officielle
   ☐ fragile

e. **L'autorité de M. D. est :**
   ☐ naturelle
   ☐ officielle
   ☐ fragile

f. **Depuis l'emprisonnement de Claude, la maîtresse de Claude Gueux est devenue :**
   ☐ couturière
   ☐ bonne sœur
   ☐ fille publique

g. **Depuis l'emprisonnement de Claude :**
   ☐ son enfant est tombé malade
   ☐ son enfant est mort
   ☐ on ignore ce que son enfant est devenu

h. Claude Gueux a pour particularité d'être :
☐ grand mangeur
☐ grand buveur
☐ grand noceur

i. L'ami que Claude se fait en prison s'appelle :
☐ Alban
☐ Albin
☐ Albion

j. Quel âge a Claude Gueux ?
☐ vingt ans
☐ trente-six ans
☐ cinquante ans

2. À quel personnage appartiennent ces éléments de portrait : Claude Gueux ou M. D. ?

a. « il avait [...] quelque chose d'impérieux dans toute sa personne et qui se faisait obéir » :

....

b. « tyrannique » :

....

c. « il était fier d'être tenace, et se comparait à Napoléon » :

....

d. « une certaine sérénité sévère » :

....

e. « dur plutôt que ferme » :

....

f. « une figure digne et grave » :

....

g. « toujours à courte bride sur son autorité » :

....

h. « bon père, bon mari sans doute, ce qui est devoir et non vertu » :

....

i. « un de ces hommes qui n'ont rien de vibrant ni d'élastique » :

....

j. « Il avait l'estomac fait de telle sorte que la nourriture de deux hommes ordinaires suffisait à peine à sa journée. » :

....

3. **Dans ces listes de personnages, soulignez uniquement ceux qui apparaissent comme tels dans *Claude Gueux* :**

a. **Le personnel de la prison :**
un assistant social – un éducateur – un geôlier – un guichetier – un maton – un porte-clefs.

b. **Les autres détenus :**
Faillette – Ferrari – Genet – Landru – Œdipe – Pernot – Rodogune – Valjean – Vautrin.

c. **Au procès :**
l'avocat – un expert – le greffier – un journaliste – les jurés – le président – le procureur – un psychiatre.

d. **Les membres du clergé :**
un abbé – des bonnes sœurs – des cardinaux – des évêques – un moine – le pape – un prêtre.

L'action

Cochez la (ou les) bonne(s) réponse(s).

1. **Que sait-on du vol de Claude ?**
   ☐ il a volé un livre et des ciseaux
   ☐ il a volé parce qu'il avait faim
   ☐ ce vol lui a coûté cinq ans de prison

2. **Avant d'être une prison, Clairvaux était :**
   ☐ une abbaye
   ☐ un château fort
   ☐ une usine

3. **M. D. sépare Claude et Albin parce que :**
   ☐ les deux hommes menacent la sécurité dans la prison
   ☐ il exécute un ordre que lui a donné un supérieur
   ☐ il est jaloux de Claude et veut le faire souffrir

4. Les deux seuls « meubles » qu'il reste à Claude de sa femme sont :
☐ une paire de ciseaux et la Bible
☐ une paire de ciseaux et *Émile* de Jean-Jacques Rousseau
☐ *Émile* de Jean-Jacques Rousseau et la Bible

5. Dans l'atelier, Claude Gueux travaille sur :
☐ un chapeau de paille
☐ un chapeau haut de forme
☐ une casquette

6. Au détenu de seize ans qui bâille, Claude conseille :
☐ de se reposer
☐ de se distraire
☐ d'apprendre à lire

7. Une fois que Claude a exposé aux prisonniers son projet criminel :
☐ personne ne lui répond
☐ un seul détenu marque son désaccord
☐ un seul détenu lui suggère de parler une dernière fois au directeur pour lui faire changer d'avis

8. Claude tue M. D. à l'aide :
☐ d'une hache
☐ de ciseaux
☐ d'une baïonnette

9. Au procès, les prisonniers déposent :
☐ spontanément
☐ parce que le président le leur demande
☐ parce que Claude le leur demande

10. Au procès, Claude se montre :
☐ silencieux
☐ confus
☐ éloquent

11. Le pourvoi en cassation :
☐ Claude le souhaite
☐ Claude ne le demande pas
☐ Claude le demande pour complaire à une bonne sœur

12. Claude est averti du moment de son exécution :
☐ une heure avant
☐ un jour avant
☐ une semaine avant

13. Que fait Claude des cinq francs que lui a donnés la bonne sœur ?
☐ il les lègue à Albin
☐ il les donne au prêtre « pour les pauvres »
☐ il les envoie à son enfant

14. Claude est décapité à :
☐ minuit
☐ huit heures
☐ neuf heures

15. L'auteur estime que les débats à la Chambre sont :
☐ passionnants
☐ utiles
☐ vains

16. Les principaux sujets traités par la Chambre sont :
☐ la peine de mort et l'éducation
☐ la situation économique du peuple
☐ les coupes budgétaires et les méfaits de la littérature moderne

17. Pour aider le peuple, l'auteur promeut :
☐ la révolution
☐ l'éducation et la religion
☐ une répression plus sévère pour les criminels les plus
dangereux

Les citations

Pour chacune des phrases suivantes extraites du texte,
précisez si c'est le narrateur ou un personnage qui l'a prononcée.
Si c'est un personnage, précisez lequel (ou lesquels).

1. « Ce n'est pas l'atelier que je blâme. » :

   ....

2. « Si tu veux, nous partagerons comme cela tous les jours. » :

   ....

3. « Je ne reviens jamais sur mes décisions. » :

   ....

4. « Parce que. » :

   ....

5. « Je juge quelqu'un. » :

   ....

6. « Ce soir je couperai ces barreaux-ci avec ces ciseaux-là. » :

   ....

7. « il faut être bon avec ces gens-là ! » :

   ....

8. « Je crains qu'il n'arrive bientôt quelque malheur à ce bon
   M. D. » :

   ....

9. « Avez-vous quelque chose à dire à cela ? » :

   ....

10. « Qu'est-ce que cela vous fait qu'il y ait dans la même salle un
    homme qui s'appelle Claude Gueux et un autre qui s'appelle
    Albin ? » :

    ....

11. « Voyons, ne m'en reparle plus. Tu m'ennuies. » :

    ....

12. « Cœur de damné, je ne te trouverai donc pas. » :

    ....

13. « Lequel des deux était la victime de l'autre ? » :

....

14. « Abrégeons. » :

....

15. « Mais pourquoi cet homme a-t-il volé ? pourquoi a-t-il tué ? » :

....

16. « Quant à moi, je n'ai pas peur du choléra. » :

....

17. « Qui est réellement coupable ? » :

....

Les figures de style

À quelle(s) figure(s) de style de la liste chacune de ces citations du texte correspondent-elles ?

antithèse – comparaison – énumération – hyperbole – ironie – métaphore – parallélisme – personnification – métonymie.

1. « Toutes ces aiguilles tournaient sur son cadran. »

....

2. « C'était une sorte de pape captif avec ses cardinaux. »

....

3. « Albin était encore presque un enfant ; Claude était déjà presque un vieillard. »

....

4. « Pauvre lion en cage à qui l'on ôtait son chien ! »

....

5. « Du reste, il était plus doux que jamais. »

....

6. « Ce soir je couperai ces barreaux-ci avec ces ciseaux-là. »

....

7. « Alors il se passa dans cet atelier une scène extraordinaire, une scène qui n'est ni sans majesté ni sans terreur, la seule de ce genre qu'aucune histoire puisse raconter. »

....

8. « En ce moment-là, il se fit dans l'atelier un silence de statues. »

....

9. « Claude [...] s'était remis au travail, comme Jacques Clément se fût remis à la prière. »

....

10. « mais les ciseaux [...] avaient mal fait leur devoir. »

....

11. « Le procureur du roi avait encombré la salle de toutes les baïonnettes de l'arrondissement. »

....

12. « Le doux peuple que vous font ces lois-là ! »

....

13. « Questions sévères, questions poignantes, qui sollicitent à cette heure toutes les intelligences, qui nous tirent tous tant que nous sommes par le pan de notre habit, et qui nous barreront un jour si complètement le chemin qu'il faudra bien les regarder en face et savoir ce qu'elles nous veulent. »

....

14. « Le corps social a un vice dans le sang. »

....

15. « Examinez cette balance : toutes les jouissances dans le plateau du riche, toutes les misères dans le plateau du pauvre. »

....

16. « Cette tête de l'homme du peuple, cultivez-la, défrichez-la, arrosez-la, fécondez-la, éclairez-la, moralisez-la, utilisez-la ; vous n'aurez pas besoin de la couper. »

....

POUR
APPROFONDIR

Thèmes et prolongements

✣ Du réel à la nouvelle

Claude Gueux se nourrit d'une double réalité : un fait divers et un discours politique écrit par Victor Hugo. Comment l'auteur est-il parvenu à combiner ces deux éléments et à les insérer dans une fiction ? Comment le réel a-t-il inspiré la nouvelle et comment celle-ci l'a-t-elle influencé en retour ?

Un fait divers

Issu d'une famille pauvre de Côte-d'Or (Bourgogne), le véritable Claude Gueux naît au printemps 1804. Ses parents sont des paysans sans terre et son père, détenu pour vol à la prison de Clairvaux, y meurt. Claude exerce divers petits métiers et commet parfois des délits pour survivre. Lui aussi est incarcéré à Clairvaux à plusieurs reprises : pendant un an pour le vol d'un sac d'avoine, et cinq ans pour un vol de vêtements... En 1823, alors qu'il n'a que dix-neuf ans, il prend part à une émeute des prisonniers. Son implication et son fort caractère lui assurent dès lors l'admiration des autres détenus et la haine du gardien-chef Pierre-Étienne Delacelle.

En 1829, le vol d'une jument qu'il comptait revendre lui vaut huit ans de prison. De retour à Clairvaux, il rencontre un certain Félix Legrand, surnommé Albin, avec qui il entretient une relation homosexuelle. Mais Delacelle le sépare de son ami. Le 7 novembre 1831, après plusieurs tentatives d'évasion, Claude tue Delacelle à coups de hache et tente de se suicider avec une paire de ciseaux. Son procès passionne les foules. Condamné à mort, il est décapité à Troyes le 1er juin 1832, loin de la prison de Clairvaux, de peur d'un soulèvement des prisonniers. C'est ce fait divers qui est à l'origine de la nouvelle de Victor Hugo.

Du fait divers à la nouvelle

Le récit *Claude Gueux* commence par l'arrestation de Claude pour vol et se termine par son exécution pour meurtre. S'il respecte pour l'essentiel la trame des événements tels qu'ils se sont déroulés, Hugo n'est pas pour autant strictement fidèle à la réalité. Il la reconstruit, modifiant certains faits, en resserrant d'autres, en omettant d'autres volontairement.

L'auteur vieillit Claude, lui attribuant trente-six ans au lieu de vingt-cinq. Il passe sous silence le fait qu'il soit multirécidiviste. De fait, puisqu'il ignore les précédentes incarcérations de Claude, il resserre l'inimitié entre Claude et Delacelle sur une période réduite. En outre, il omet les tentatives d'évasion de Claude avant son crime. Et, au début, il feint d'ignorer l'objet du délit : « Je ne sais ce qu'il vola, je ne sais où il vola. Ce que je sais, c'est que de ce vol il résulta trois jours de pain et de feu pour la femme et pour l'enfant, et cinq ans de prison pour l'homme » (p. 20).

Ainsi, les libertés que prend l'auteur avec la réalité ne sont nullement gratuites. Elles sont destinées à servir son propos sur la misère et la justice.

Du discours à la nouvelle

Claude Gueux se nourrit également d'un discours que Victor Hugo a composé en 1832, deux ans avant la rédaction de la nouvelle. Pour ce discours, il a imaginé comme situation d'énonciation la prise de parole d'un citoyen anonyme devant la Chambre des députés. Il s'agit de convaincre les députés de réformer la justice, en particulier en abolissant la peine de mort, de prendre des mesures en faveur de l'éducation et de combattre la misère.

Hugo remanie légèrement son discours et en insère de larges parts dans la nouvelle. Ainsi, ce qui était à l'origine prévu pour être une adresse aux parlementaires figure désormais dans la fiction, accessible à tout lecteur. Or, par la grâce de l'un d'entre eux, le négociant Carlier, très impressionné par le texte, celui-ci sera réellement adressé aux députés. Pourfendeur inlassable de la peine de mort, Hugo sera cependant loin de connaître son abolition. Celle-ci ne sera effective en France qu'en 1981.

Pour approfondir

✤ Du narratif à l'argumentatif

> Le récit progresse de manière inexorable à la manière d'une tragédie. Mais il se présente également comme le cadre d'un discours argumentatif. Celui-ci est particulièrement explicite dans la dernière partie. Le texte s'apparente ainsi à une fable ou à une parabole.

Le cadre du récit

Le tout premier repère temporel, « il y a sept ou huit ans », ancre le récit dans un passé récent mais peu précis. Puis les dates apparaissent progressivement. Le 25 octobre 1831, Claude fixe un ultimatum à M. D. À l'échéance du 4 novembre, il le tue. Le 16 mars 1832 se tient le procès. Le 8 juin à sept heures du matin, un gardien annonce à Claude qu'il sera exécuté une heure plus tard. L'action se resserre jusqu'à l'issue fatale et les dates posent les jalons d'un récit d'autant plus inexorable que la fin en est connue d'avance. « Abrégeons », s'écrie le narrateur, pressé de défendre sa thèse (p. 47).

Quant au cadre spatial, il se réduit pour l'essentiel à un lieu unique et clos, la prison, soumis à un quotidien très ritualisé. Le personnage principal, peu loquace, se caractérise principalement par ses attitudes et ses gestes. Le récit est donc empreint de théâtralité. Certaines actions sont d'ailleurs présentées d'une manière aussi sobre que des didascalies : « Neuf heures sonnèrent. La porte s'ouvrit. Le directeur entra » (p. 42).

Le récit se contente donc apparemment de délivrer sans commentaires une succession de faits. C'est du moins le pacte de lecture que l'auteur expose dès la première page : « Je dis les choses comme elles sont, laissant le lecteur ramasser les moralités à mesure que les faits les sèment sur leur chemin. »

La visée argumentative

Pour autant, Hugo ne respecte pas ce programme à la lettre. Il n'hésite pas à intervenir dans son récit pour en tirer des leçons ou exposer des théories. À propos du directeur des ateliers, il observe qu'« il y a par le monde beaucoup de ces petites fatalités têtues qui se croient des providences » et qu'il estime responsables d'« une catastrophe privée ou publique » (p. 22). L'auteur exprime également son point de vue de manière implicite : « Arrivé là, on mit [Claude Gueux] dans un cachot pour la nuit et dans un atelier pour le jour. Ce n'est pas l'atelier que je blâme » (p. 20).

En outre, Hugo sollicite son lecteur en lui posant directement des questions. Celles-ci sont moins ouvertes qu'il n'y paraît dans la mesure où le récit oriente la réponse. Ainsi, de Claude et de M. D., « lequel des deux était la victime de l'autre ? » (p. 44). La réponse est induite par la narration qui s'emploie sans relâche à faire de Claude Gueux un martyr, d'abord victime de la misère, puis des provocations du directeur d'atelier.

Claude Gueux est donc un récit édifiant qui s'assume comme le cadre d'un discours argumentatif : « tous les paragraphes de cette histoire pourraient servir de têtes de chapitre au livre où serait résolu le grand problème du peuple au XIXe siècle » (p. 58). Une fois la tête de son héros tombée, l'auteur prend le relais du narrateur et expose son point de vue argumenté de manière explicite. Il interpelle son lecteur : « Réfléchissez. »

Le genre du texte

Ainsi, le texte est composé de deux parties de taille inégale : une large part accordée au récit suivie d'une conclusion morale. Cette structure reprend celle de l'apologue. L'exclamation du narrateur : « Pauvre lion en cage à qui l'on ôtait son chien ! » évoque d'ailleurs les fables de La Fontaine.

Mais le récit édifiant fait également songer à une parabole. Claude est une figure christique dont la prison et le procès constituent le long chemin de croix. Les autres détenus se comportent comme ses disciples, voire ses apôtres. Et tel Jésus sur le mont des Oliviers, c'est Claude lui-même qui les console de sa prochaine exécution.

Victor Hugo ne craint pas de mélanger les genres, fidèle en cela aux préceptes du romantisme, ce mouvement littéraire dont il est le chef de file.

Pour approfondir

✠ Des personnages et des symboles

> Autant Claude Gueux est construit en opposition à M. D., autant il est en communion avec les autres détenus. Dans ce monde masculin, une femme hante cependant le récit. Les personnages sont aussi des symboles.

Claude et M. D. : l'opposition

Hugo s'appuie sur l'antithèse pour caractériser Claude Gueux et M. D. Le premier est digne et profondément résolu. Le second est lâche et bêtement inflexible. En outre, l'« autorité sans titre » que Claude exerce naturellement sur les autres détenus s'oppose à l'« autorité officielle » du directeur. En trois mois, Claude devient « l'âme, la loi et l'ordre de l'atelier » (p. 23). Ainsi, Claude Gueux incarne la nature dans ce qu'elle a de plus accompli et M. D. la société dans ce qu'elle peut produire de plus mesquin. Leur duo tragique préfigure le bagnard Jean Valjean et l'inspecteur Javert des *Misérables*.

L'opposition des deux hommes repose également sur le traitement de leur nom. Le patronyme du premier, qui donne au livre son titre, fonctionne comme une antonomase : au-delà de lui-même, Gueux représente tous les miséreux. Son nom fait d'ailleurs « une impression profonde » sur les jurés des assises. Le second se réduit à M. D. Bien que l'allusion à Delacelle soit transparente, son anonymat est préservé. Or, privé de nom, M. D. n'a droit non plus à un portrait physique, contrairement à Claude. Hugo renverse ainsi l'ordre établi : il refuse toute empathie pour la victime et fait du criminel un héros.

Claude et les détenus : la communion

En outre, le « pauvre ouvrier », considéré comme « une sorte de pape captif », entraîne dans son sillage les autres prisonniers, « ses cardinaux ». Une véritable communion spirituelle les relie. Cela donne lieu à de courtes scènes avec un Pernot, un Ferrari ou un Faillette – à la différence du directeur, les détenus portent un nom.

Pour approfondir

Et lorsqu'ils sont assemblés face à Claude Gueux, leurs réactions sont le plus souvent unanimes. Ils forment un chœur qui évoque celui des tragédies antiques.

Dans ce monde carcéral et viril, Claude trouve également un compagnon en la personne d'Albin. Le mot « compagnon » est à entendre au sens étymologique : celui qui partage son pain avec lui. Il évoque la charité chrétienne. Mais il relève aussi de la communion amoureuse : « Chacun des deux amis était l'univers pour l'autre. Il paraît qu'ils étaient heureux » (p. 27). Hugo place Albin du côté des femmes. Son apparition au procès est précédée d'une mention sur « les femmes qui étaient là » et qui « pleurèrent ». Le jeune homme lui aussi « sanglotait ». À la fin de cette scène, Claude « baisa la main d'Albin ».

Un monde exclusivement masculin ?

De fait, les femmes sont presque totalement absentes du récit. Mais cette absence est bien plus physique que morale. En effet, si la maîtresse de Claude n'apparaît jamais, elle est présente à travers les deux seuls « meubles » que le prisonnier a conservés d'elle : une paire de ciseaux (elle était couturière) et le livre *Émile* (contrairement à Claude, elle sait lire). Or, ce sont ces « petits ciseaux » que Claude « enfonce dans sa poitrine » et dont il fait don à son cher Albin avant de mourir.

En outre, avant sa « chute », on sait que Claude formait avec sa « femme » un « heureux petit ménage ». Après la « chute », on apprend que la « malheureuse » s'est faite « fille publique ». Hugo dénonce ainsi un effet redoutable de la prison : elle corrompt les mœurs et détruit les familles.

Enfin, puisque la nouvelle se clôt par une adresse aux députés, rappelons qu'à l'époque de *Claude Gueux* les lois n'étaient votées que par des hommes. Il faudra attendre 1944 pour que les femmes en France soient elles aussi électrices et éligibles. Comme l'abolition de la peine de mort, l'égalité civique entre hommes et femmes est l'un des engagements passionnés de Victor Hugo.

Pour approfondir

❖ Silences et éloquence

> Claude Gueux est un personnage paradoxal et son rapport au langage en est l'illustration la plus frappante. Peu loquace, comme s'il se méfiait des mots, il s'attache la confiance d'autres hommes dans un silence complice. Mais il sait aussi se montrer un brillant orateur dont Victor Hugo n'hésite pas à faire son porte-parole.

Gueux le taiseux

On l'apprend dès le début, Claude Gueux a « la parole rare ». Même la frustration ne le pousse pas à s'exprimer. « Il avait faim, et c'était tout. Il n'en parlait pas. C'était sa nature ainsi » (p. 26). Bien que profondément affecté par le départ de son ami, Claude « ne parlait d'Albin à aucun de ses camarades » (p. 32). Il ne recourt aux mots que lorsqu'il en a absolument besoin. Ainsi, en quête d'Albin, « il adressa la parole à un guichetier, ce qu'il ne faisait jamais » (p. 28). Et chaque fois que le directeur d'atelier passe devant le métier de Claude, le détenu se contente de lui demander : « Et Albin ? ».

Il n'est donc pas étonnant que Claude s'attache à un homme qui comme lui parle peu, même si, pour Albin, c'est par timidité : « Il restait là debout, près de Claude, ayant l'air de vouloir parler et de ne pas oser » (p. 26). L'expression des sentiments entre les deux hommes est soumise à une grande pudeur.

Des silences qui en disent long

En outre, on dirait que les silences de Claude irradient vers ses camarades. En annonçant aux vingt-sept hommes qui travaillent à l'atelier son intention de tuer le directeur, « il ne leur avait pas recommandé le secret. Tous le gardèrent » (p. 37). Et lorsque, le jour fixé du crime, la future victime fait son entrée, l'atelier est gagné par un « silence de statues ». Une « sorte de convention tacite » lie donc les détenus à Claude au-delà du langage et leur confère une puissance mystérieuse.

En revanche, chez le directeur d'atelier, les silences sont d'une tout autre nature. Si « l'homme bref » parle peu, ses silences sont chargés de non-dits. À Claude qui lui demande pourquoi il l'a séparé d'Albin, il lance un bref « parce que » dénué d'explication. Cette réponse elliptique et brutale trahit le caractère arbitraire de sa décision. Rien ne la justifie vraiment, sinon la jalousie qu'il conçoit à l'égard de Claude. Plus tard, la même question provoque la même réponse, laquelle déclenche l'irréparable : le crime.

Gueux l'éloquent

Au cours des interrogatoires qui suivent, quand on demande à Claude pourquoi il a tué M. D., il répond à son tour « parce que ». En deux mots, tout est dit. Au procès, à propos d'Albin, Claude reprend avec ironie une expression douteuse : « Voilà un scélérat qui partage son pain avec ceux qui ont faim » (p. 48). Sa parole est rare, elle n'en a que plus de poids : « pour contenir les prisonniers, dix paroles de Claude valaient dix gendarmes » (p. 27).

Ses prises de parole concises et ciblées apparentent d'ailleurs Claude à un sage. À l'approche de la mort, l'austère condamné fait preuve d'un humour détaché : « j'ai bien dormi cette nuit, sans me douter que je dormirais encore mieux la prochaine » (p. 53). En 1905, Sigmund Freud analysera dans *Le Mot d'esprit et ses rapports avec l'inconscient* l'humour comme mécanisme de défense de l'âme humaine face à l'angoisse, en particulier chez les condamnés au seuil de la mort.

Enfin, Claude sait aussi mettre en scène sa parole, comme lorsqu'il s'adresse aux prisonniers dans l'atelier pour leur exposer son projet de tuer M. D. Au procès, son éloquence contraste avec les plaidoiries convenues du procureur et de l'avocat. Elle dénonce en creux le discours que tient la société sur la criminalité et la misère. Claude devient alors le porte-parole de l'auteur. Son éloquence est une arme politique.

Pour approfondir

✣ Les enjeux politiques et religieux

Selon Hugo, au-delà d'un simple individu, c'est la société qui est coupable du crime de Claude Gueux. S'il convient de réformer la justice, l'auteur désigne également deux domaines essentiels pour corriger les travers de la société : l'éducation et la religion.

Une société « mal faite »

« Cerveau bien fait, cœur bien fait, sans nul doute. Mais le sort le met dans une société si mal faite [...] qu'il finit par tuer » (p. 58). En deux phrases, Victor Hugo résume sa thèse : ce n'est pas par vice que Claude est criminel, mais parce qu'il est né dans une société coupable. Il n'est donc pas un « monstre », comme l'affirme le juge au procès. De la même manière, la véritable responsable du vol qu'il a commis est la misère.

Cette défense des qualités naturelles de l'homme et cette mise en cause d'une société malfaisante s'inspire du philosophe des Lumières Jean-Jacques Rousseau. Selon Rousseau, l'homme est naturellement bon et c'est la société qui le corrompt. C'est dans ce sens que Hugo conclut ironiquement : « Le doux peuple que vous font ces lois-là ! » (p. 55) après l'émeute qui suit la décapitation de Gueux. La scène montre en effet que l'exécution publique est dépourvue de la vertu édifiante et dissuasive qu'elle prétend posséder. Elle génère au contraire de la sauvagerie chez la foule déjà accablée par la misère.

Il est donc urgent de s'attaquer aux lois et l'auteur s'y emploie. S'appuyant sur les perfidies de M. D., il suggère au législateur de considérer qu'une provocation morale peut être plus redoutable qu'une provocation matérielle. Et à la fin du texte, Hugo s'adresse longuement aux députés pour dénoncer leurs débats stériles. Il les enjoint d'abolir la peine de mort et de prendre des mesures en faveur de l'éducation.

La nécessité de l'éducation

Car si la société est « mal faite », c'est aussi parce qu'elle renonce à éduquer. Claude Gueux est « capable, habile, intelligent, fort maltraité par l'éducation, fort bien traité par la nature, ne sachant pas lire et sachant penser » (p. 20). Malgré ses dons naturels, il lui manque donc l'éducation. S'il parvient à donner le change, un détail le trahit : il souffle les chandelles par les narines.

Claude Gueux est lui-même parfaitement conscient de cette lacune. Après avoir emprunté l'arme du crime, il prend la peine de conseiller à un jeune homme qui bâille d'apprendre à lire. Bien qu'illettré, il a conservé de sa « femme » un exemplaire de l'*Émile*. Ce n'est pas un hasard si Hugo a choisi ce livre. Rousseau, qui en est l'auteur, y montre que l'indispensable éducation doit veiller à ne pas contrarier la nature. L'auteur de *Claude Gueux* répond en écho : « Que la société fasse toujours pour l'individu autant que la nature » (p. 58). Aussi apostrophe-t-il les députés pour leur demander de s'occuper enfin des pauvres : « Développez de votre mieux ces malheureuses têtes, afin que l'intelligence qui est dedans puisse grandir » (p. 65).

La « croyance à un meilleur monde »

La dernière injonction que formule Hugo à l'adresse des députés est aussi symbolisée par un livre : la Bible. Il ne croit pas en effet la politique capable de tout résoudre et en appelle à la religion pour redonner de l'espérance au peuple : « Donnez au peuple qui travaille et qui souffre, donnez au peuple, pour qui ce monde-ci est mauvais, la croyance à un meilleur monde fait pour lui » (p. 66).

Or, la référence à la religion n'apparaît pas qu'à la toute fin du texte. Dès le début, l'auteur déplore que l'abbaye de Clairvaux soit devenue une prison. Claude Gueux lui-même regrette de « n'avoir pas été instruit dans la religion » (p. 54). Il se révèle bienveillant avec les bonnes sœurs, humble avec le prêtre et il fait preuve de charité juste avant d'être décapité. Son attitude exemplaire est à l'image de celle du Christ.

C'est ainsi que Victor Hugo élève un simple fait divers à une dimension politique et spirituelle.

Pour approfondir

Textes et images

✢ Hugo l'abolitionniste

Bien qu'il ait été successivement monarchiste, bonapartiste et républicain, Victor Hugo est resté avec constance un abolitionniste convaincu. De fait, il a traité ce thème dans des romans, des lettres, des poèmes mais aussi dans certaines de ses œuvres plastiques.

Documents :

➊ Extrait du chapitre VII du *Dernier Jour d'un condamné*, roman de Victor Hugo (1829).

➋ *Aux habitants de Guernesey*, lettre extraite de *Actes et paroles-Pendant l'exil*, de Victor Hugo (10 janvier 1854).

➌ *L'Échafaud*, poème extrait de *La Légende des siècles*, de Victor Hugo (30 mars 1856).

➍ Exécution du roi Louis XVI, le 21 janvier 1793, gravure anonyme.

➎ Les quatre sergents de La Rochelle marchant au supplice le 21 septembre 1822, gravure de Tony Goutière (XIXᵉ).

➏ *Henriet Cousin traînant Esmeralda au gibet*, illustration de l'édition de 1844 de *Notre-Dame de Paris*, gravure d'après un dessin de Louis Henri de Rudder (1807-1881).

➐ *John Brown[1] pendu*, eau-forte de Victor Hugo (1860).

➊ Et puis, ce que j'écrirai ainsi ne sera peut-être pas inutile. Ce journal de mes souffrances, heure par heure, minute par minute, supplice par supplice, si j'ai la force de le mener jusqu'au moment où il me sera *physiquement* impossible de continuer, cette histoire, nécessairement inachevée, mais aussi complète que possible, de mes sensations, ne portera-t-elle point avec elle un grand et

---

1. **John Brown :** abolitionniste américain qui en appela à l'insurrection armée pour abolir l'esclavage. Il est l'auteur du massacre de Pottawatomie en 1856 au Kansas et d'une tentative d'insurrection sanglante à Harpers Ferry en 1859 qui se termina par son arrestation, sa condamnation à mort pour trahison contre l'État de Virginie et sa pendaison.

Pour approfondir

profond enseignement ? N'y aura-t-il pas dans ce procès-verbal de la pensée agonisante, dans cette progression toujours croissante de douleurs, dans cette espèce d'autopsie intellectuelle d'un condamné, plus d'une leçon pour ceux qui condamnent ? Peut-être cette lecture leur rendra-t-elle la main moins légère, quand il s'agira quelque autre fois de jeter une tête qui pense, une tête d'homme, dans ce qu'ils appellent la balance de la justice ? Peut-être n'ont-ils jamais réfléchi, les malheureux, à cette lente succession de tortures que renferme la formule expéditive d'un arrêt de mort ? Se sont-ils jamais seulement arrêtés à cette idée poignante que dans l'homme qu'ils retranchent il y a une intelligence ; une intelligence qui avait compté sur la vie, une âme qui ne s'est point disposée pour la mort ? Non. Ils ne voient dans tout cela que la chute verticale d'un couteau triangulaire, et pensent sans doute que pour le condamné il n'y a rien avant, rien après.

Ces feuilles les détromperont. Publiées peut-être un jour, elles arrêteront quelques moments leur esprit sur les souffrances de l'esprit ; car ce sont celles-là qu'ils ne soupçonnent pas. Ils sont triomphants de pouvoir tuer sans presque faire souffrir le corps. Hé ! c'est bien de cela qu'il s'agit ! Qu'est-ce que la douleur physique près de la douleur morale ! Horreur et pitié, des lois faites ainsi ! Un jour viendra, et peut-être ces mémoires, derniers confidents d'un misérable, y auront-ils contribué...

❷ *Alors qu'il est exilé à Jersey, Hugo écrit aux habitants de l'autre grande île anglo-normande, Guernesey, pour leur demander d'infliger une peine moins sévère au criminel Tapner sur le point d'être pendu.*

Peuple de Guernesey,

C'est un proscrit qui vient à vous.

C'est un proscrit qui vient vous parler pour un condamné. L'homme qui est dans l'exil tend la main à l'homme qui est dans le sépulcre. Ne le trouvez pas mauvais, et écoutez-moi.

[...] Oh ! nous sommes le XIXᵉ siècle ; nous sommes le peuple nouveau ; nous sommes le peuple pensif, sérieux, libre, intelligent, travailleur, souverain ; nous sommes le meilleur âge de l'humanité, l'époque de progrès, d'art, de science, d'amour, d'espérance, de fraternité ; échafauds ! Qu'est-ce que vous voulez ? Ô machines

monstrueuses de la mort, hideuses charpentes du néant, appari-
tions du passé, toi qui tiens à deux bras ton couperet triangulaire,
toi qui secoues un squelette au bout d'une corde, de quel droit
reparaissez-vous en plein midi, en plein soleil, en plein XIXᵉ siècle, en
pleine vie ? Vous êtes des spectres. Vous êtes les choses de la nuit,
rentrez dans la nuit. Est-ce que les ténèbres offrent leur service à la
lumière ?

3 C'était fini. Splendide, étincelant, superbe,
Luisant sur la cité comme la faulx sur l'herbe,
Large acier dont le jour faisait une clarté,
Ayant je ne sais quoi dans sa tranquillité
De l'éblouissement du triangle mystique,
Pareil à la lueur au fond d'un temple antique,
Le fatal couperet relevé triomphait.
Il n'avait rien gardé de ce qu'il avait fait
Qu'une petite tache imperceptible et rouge.

Le bourreau s'en était retourné dans son bouge ;
Et la peine de mort, remmenant ses valets,
Juges, prêtres, était rentrée en son palais ;
Avec son tombereau terrible dont la roue,
Silencieuse, laisse un sillon dans la boue
Qui se remplit de sang sitôt qu'elle a passé.
La foule disait : bien ! car l'homme est insensé,
Et ceux qui suivent tout, et dont c'est la manière,
Suivent même ce char et même cette ornière.

J'étais là, je pensais. Le couchant empourprait
Le grave Hôtel de Ville aux luttes toujours prêt,
Entre Hier qu'il médite et Demain dont il rêve.
L'échafaud achevait, resté seul sur la Grève,
Sa journée en voyant expirer le soleil.
Le crépuscule vint, aux fantômes pareil.
Et j'étais toujours là, je regardais la hache,
La nuit, la ville immense, et la petite tache.

À mesure qu'au fond du firmament obscur,
L'obscurité croissait comme un effrayant mur,
L'échafaud, bloc hideux de charpentes funèbres,
S'emplissait de noirceur et devenait ténèbres ;
Les horloges sonnaient, non l'heure, mais le glas ;
Et toujours, sur l'acier, quoique le coutelas
Ne fût plus qu'une forme épouvantable et sombre,
La rougeur de la tache apparaissait dans l'ombre.

Un astre, le premier qu'on aperçoit le soir,
Pendant que je songeais, montait dans le ciel noir.

Sa lumière rendait l'échafaud plus difforme.
L'astre se répétait dans le triangle énorme ;
Il y jetait ainsi qu'en un lac son reflet,
Lueur mystérieuse et sacrée ; il semblait
Que sur la hache horrible, aux meurtres coutumière,
L'astre laissait tomber sa larme de lumière.
Son rayon, comme un dard qui heurte et rebondit,
Frappait le fer d'un choc lumineux ; on eût dit
Qu'on voyait rejaillir l'étoile de la hache.
Comme un charbon tombant qui d'un feu se détache ;
Il se répercutait dans ce miroir d'effroi ;
Sur la justice humaine et sur l'humaine loi :
De l'éternité calme auguste éclaboussure.
« Est-ce au ciel que ce fer a fait une blessure ?
Pensai-je. Sur qui donc frappe l'homme hagard ?
Quel est donc ton mystère, ô glaive ? » Et mon regard
Errait, ne voyant plus rien qu'à travers un voile
De la goutte de sang à la goutte d'étoile.

95

4

EXÉCUTION DE LOUIS CAPET XVIe DU NOM LE 21 JANVIER 1793.

Pour approfondir

5

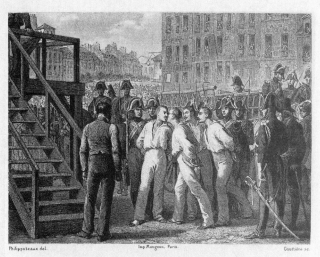

Philippoteaux del.   Imp. Mangeon, Paris.   Gouttière sc.

EXÉCUTION DES 4 SERGENTS DE LA ROCHELLE

Garnier frères, Éditeurs.

Pour approfondir

⑥

Lacrampe et Comp

HENRIET-COUSIN TRAINANT ESMERALDA AU GIBET

7

✤ Étude des textes

Savoir lire

1. Précisez qui dit « je » dans chacun des trois textes.
2. Parmi ces textes, le(s)quel(s) se situent avant l'exécution et le(s) quel(s) après. Justifiez votre réponse.
3. Dans deux de ces textes, l'auteur s'adresse à un moment donné directement aux instruments du supplice. Relevez les passages concernés.
4. Relevez les points communs et les différences entre l'extrait du *Dernier Jour d'un condamné* et *Claude Gueux*.

Savoir faire

1. Terminez la dernière phrase inachevée du texte 1 et imaginez une suite en veillant à respecter la situation d'énonciation et la cohérence du propos.
2. Imaginez les réponses d'un habitant de Guernesey à la lettre de Victor Hugo. Vous pourrez choisir d'être en accord ou en désaccord avec la demande de l'écrivain, mais vous devrez soigner votre argumentation et respecter les caractéristiques de la forme épistolaire.
3. Imaginez que l'auteur réponde lui-même aux trois questions qu'il pose à la fin du texte 3. Vous rédigerez ces réponses (en prose) en veillant à être cohérent avec la position qu'il défend dans le poème.

✤ Étude des images

Savoir analyser

1. Précisez pour chacune des ces images si elle représente l'instrument du supplice, et, le cas échéant, la nature de cet instrument.
2. Parmi ces images, laquelle (ou lesquelles) se situ(ent) avant l'exécution et laquelle (ou lesquelles) après. Justifiez votre réponse.
3. Décrivez les visages des condamnés sur chacune des images et la manière dont ils sont représentés.

4. Décrivez la place qu'occupe la foule et le rôle qu'elle joue sur les documents 4, 5 et 6.

5. Qu'est-ce qui distingue le document 6 des trois autres ? Analysez précisément la lumière et l'obscurité sur cette image. Parmi les trois textes, duquel se rapproche-t-elle le plus ? Pour quelle raison ?

Savoir faire

1. Imaginez que vous tourniez pour le cinéma une scène inspirée du document 4. Quelles indications de jeu donneriez-vous aux comédiens et aux figurants ?

2. Écrivez un article de presse qui relate la scène représentée sur le document 5.

3. En vous appuyant sur l'attitude des personnages principaux du document 6, imaginez leur dialogue. Vous présenterez la scène sous une forme théâtrale.

4. Décrivez aussi précisément que possible les sentiments que vous inspire le document 7.

Pour approfondir

✣ Destins de gueux

> La société refuse bien souvent de regarder ses pauvres en face. Sans doute lui donnent-ils mauvaise conscience. La misère elle-même rechigne à s'afficher. C'est l'une des puissances des œuvres littéraires et plastiques que de lever le voile sur elle.

Documents :

❶ Extrait des *Misérables* (IV, 3), roman de Victor Hugo (1862).

❷ *Gueux*, poème de Gaston Couté (1880-1911).

❸ Extrait de *Dans la dèche à Paris et à Londres,* récit autobiographique de George Orwell (1933).

❹ *Les Mendiants,* peinture à l'huile sur bois de Breughel (1568).

❺ « La crise du chômage à Lille. Soupe populaire pour chômeurs », extrait du *Grand Hebdomadaire illustré* (16 janvier 1921).

❻ Photographie extraite de *La Ruée vers l'or,* film muet de et avec Charlie Chaplin (1925).

❶ *Le temps qu'elle retrouve un travail, Fantine confie sa jeune fille Cosette au couple Thénardier, parents d'Éponine et Azelma. Les Thénardier promettent à Fantine de bien s'occuper de sa fille. Mais ils la brutalisent et l'exploitent.*

Tant que Cosette fut petite, elle fut le souffre-douleur des deux autres enfants ; dès qu'elle se mit à se développer un peu, c'est-à-dire avant même qu'elle eût cinq ans, elle devint la servante de la maison.

Cinq ans, dira-t-on, c'est invraisemblable. Hélas, c'est vrai.

On fit faire à Cosette les commissions, balayer les chambres, la cour, la rue, laver la vaisselle, porter même les fardeaux. Les Thénardier se crurent d'autant plus autorisés à agir ainsi que la mère qui était toujours à Montreuil-sur-Mer commençait à moins payer. Quelques mois restèrent en souffrance.

Si cette mère fut revenue à Montfermeil au bout de ces trois années, elle n'eût point reconnu son enfant. Cosette, si jolie et si fraîche à son arrivée dans cette maison, était devenue maigre et blême. Elle avait je ne sais quelle allure inquiète. Sournoise ! disaient les Thénardier.

L'injustice l'avait faite hargneuse et la misère l'avait rendue laide. Il ne lui restait plus que ses beaux yeux qui faisaient peine, parce que grands comme ils étaient, il semblait qu'on y vît une plus grande quantité de tristesse.

C'était une chose navrante de voir, l'hiver, ce pauvre enfant, qui n'avait pas encore six ans, grelottant sous de vieilles loques de toiles trouées, balayer la rue avant le jour avec un énorme balai dans ses petites mains rouges et une larme dans ses grands yeux.

Dans le pays, on l'appelait l'Alouette. Le peuple, qui aimait les figures, s'était plu à nommer de ce nom ce petit être pas plus gros qu'un oiseau, tremblant, effarouché et frissonnant, éveillé le premier chaque matin dans la maison et dans le village, toujours dans la rue ou dans les champs avant l'aube.

Seulement la pauvre alouette ne chantait jamais.

2 Un soir d'hiver, quand de partout
Les corbeaux s'enfuient en déroute,
Dans un fossé de la grand'route,
Près d'une borne, n'import'où,
Pleurant avec le vent qui blesse
Leurs petits corps chétifs et nus,
Pour souffrir des maux trop connus
Les gueux naissent.

Pour narguer le destin cruel,
Le Dieu d'en haut qui les protège
En haut de leur berceau de neige
Accroche une étoile au ciel
Qui met en eux sa chaleur vive,
Et, comme les oiseaux des champs,

Mangeant le pain des bonnes gens
Les gueux vivent.

Puis vient l'âge où, sous les haillons,
Leur cœur bat et leur sang fermente,
Où dans leur pauvre âme souffrante
L'amour tinte ses carillons
Et dit son éternel poème ;
Alors, blonde fille et gars brun,
Pour endolir leur chagrin
Les gueux s'aiment !

Mais bientôt, et comme toujours,
Que l'on soit riche ou misérable,
L'amour devient intolérable
Et même un poison à leurs jours,
Et, sous tous leurs pas, creuse un gouffre ;
Alors, quand ils se sont quittés,
Pour leurs petits qui sont restés
Les gueux souffrent !

Et quand le temps les a faits vieux,
Courbant le dos, baissant la tête
Sous le vent qui souffle en tempête,
Ils vont dormir un soir pluvieux
Par les fossés où gît le Rêve,
Dans les gazons aux ors fanés,
Et – comme autrefois ils sont nés –
Les gueux crèvent !

❸ Curieuse sensation qu'un premier contact avec la « débine ». C'est une chose à laquelle vous avez tellement pensé, que vous avez si souvent redoutée, une calamité dont vous avez toujours su qu'elle s'abattrait sur vous à un moment ou à un autre. Et quand vient ce moment, tout prend un tour si totalement et si prosaïquement différent. Vous vous imaginiez que ce serait très simple : c'est en fait extraordinairement compliqué. Vous vous imaginiez que ce serait terrible : ce n'est que sordide et fastidieux. C'est la petitesse inhérente à la pauvreté que vous commencez par découvrir. Les expédients auxquels elle vous réduit, les mesquineries alambiquées, les économies de bouts de chandelle.

C'est tout d'abord l'atmosphère de secret cachotier. Vous vous trouvez brutalement contraint de vivre avec six francs par jour. Mais vous ne voudriez pour rien au monde que cela se sache : il faut donner à votre entourage l'impression que rien n'a changé dans votre vie. Ce qui vous enferme d'emblée dans un labyrinthe de stratagèmes dérisoires, qui ne suffisent même pas à donner le change. Vous renoncez, pour commencer, à donner votre linge à blanchir. Croisant dans la rue la blanchisseuse, qui s'inquiète de ne plus vous voir, vous bredouillez une vague explication, avec ce résultat que la brave dame, persuadée que vous lui avez retiré votre clientèle pour la donner à un concurrent, vous en veut désormais à mort. Le buraliste ne cesse de vous demander pourquoi vous fumez moins. Il y a des lettres auxquelles vous voudriez bien répondre, mais cela vous est impossible parce que les timbres sont devenus trop chers pour vous. Et puis il y a la question de la nourriture – de loin la plus épineuse. Chaque jour, aux heures des repas, vous faites ostensiblement mine de prendre la direction du restaurant, mais vous passez une heure dans les jardins du Luxembourg, à tourner en rond et à regarder les pigeons. Après quoi, vous ramenez votre pitance chez vous, dissimulée dans vos poches.

4

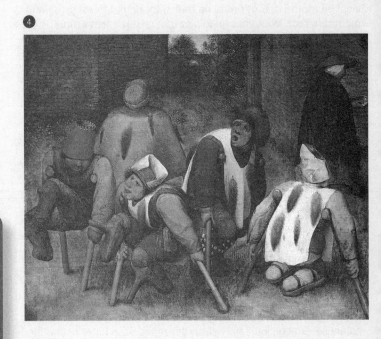

(Nouvelle Série) — 3ᵐᵉ Année — Nº 3 — Dimanche 16 Janvier 1921

LE GRAND

25 CENTIMES le Numéro

Hebdomadaire Illustré

DE LA RÉGION DU NORD DE LA FRANCE

Bureaux : 77, Rue Nationale, LILLE

Les annonces sont reçues au Bureau du Journal, à Lille, et à l'Agence Parisienne au Pomicoté, 16, rue Drouot, Paris.
ABONNEMENTS (Nord et Limitrophes), **12 francs** par an. Autres départements français, **13 francs**. — Étranger, **15 francs**.

LA CRISE DU CHOMAGE A LILLE

CUISINE POPULAIRE

LE RAVITAILLEMENT DES CHOMEURS AUX CUISINES POPULAIRES

Pour approfondir

✥ Étude des textes

Savoir lire

1. Pour chacun des personnages de pauvre figurant dans les trois textes, précisez à quel(s) moment(s) de leur vie ils sont présentés par l'auteur.

2. Lequel de ces trois textes présente la pauvreté sans la relier au regard que la société peut porter sur elle ? Justifiez votre réponse.

3. De quelles manières les textes 1 et 3 sollicitent-ils le lecteur ?

4. Des oiseaux sont présents dans les trois textes. Lesquels ? Quel rôle joue chacun d'eux dans le texte où il apparaît ?

Savoir faire

1. L'un des habitants du pays, un de ceux qui appellent Cosette l'Alouette, rencontre dans la rue la petite fille une nuit avant l'aube. Imaginez leur dialogue.

2. Choisissez un thème que le texte 2 n'aborde pas et rédigez une strophe pour le traiter de manière qu'elle puisse s'insérer dans le poème. Votre strophe devra être cohérente avec la structure et la métrique des autres strophes.

3. Imaginez une suite au texte 3. Vous veillerez à respecter la situation d'énonciation établie par l'auteur et le thème tel qu'il le traite : la découverte par le narrateur de la misère et les mille et un stratagèmes auxquels il a recours pour la cacher aux yeux du monde.

Pour approfondir

Textes et images

❖ Étude des images

Savoir analyser

1. Décrivez le document 4 le plus précisément possible.
2. Parmi ces images, lesquelles traitent du thème de la faim. De quelle manière ?
3. Laquelle de ces images a la fonction la plus documentaire ? Justifiez votre réponse.
4. Laquelle de ces images a la fonction la plus comique ? Justifiez votre réponse.
5. Décrivez le costume porté par Charlot sur le document 6. Qu'en déduisez-vous ?

Savoir faire

1. Imaginez un récit intégrant la scène représentée sur le document 4. Vous veillerez à la construction de votre récit, avec un début, un milieu et une fin. L'épisode évoqué par l'image devra être clairement identifiable dans votre texte.
2. Cherchez dans la presse des images (photos ou dessins) représentant la pauvreté. Vous présenterez ces images à vos camarades sous forme d'exposé, en précisant le contexte de l'image et en la leur décrivant aussi précisément que possible.
3. Imaginez le monologue intérieur (les pensées) de Charlot en train d'essayer de manger sa chaussure. Votre texte sera rédigé à la première personne du singulier.

Pour approfondir

Vers le brevet

Questions

I. Un tableau en clair-obscur

1. Relevez le champ lexical de la nuit dans la première strophe. Quelles sont les valeurs des rimes « funèbres/ténèbres » et « sombre/ombre » ?

2. Relevez le champ lexical de la lumière dans la dernière strophe.

3. Que déduisez-vous des deux premières questions ?

4. Quelle autre couleur apparaît dans la première strophe ? À quoi fait-elle référence selon vous ? Quels sont les deux effets qui la mettent en valeur ?

5. Dans la dernière strophe, quel mot reprend la couleur évoquée à la question 4 ?

6. À la fin du texte, qu'est-ce qui fait disparaître l'échafaud aux yeux du poète ? Sur quel procédé et sur quelle figure de style le dernier vers est-il construit ?

II. Une description fantastique

1. Relevez les groupes nominaux qui se rapportent à l'échafaud et aux différents éléments qui le composent. Quels sentiments sont-ils censés provoquer chez le lecteur ?

2. Expliquez : « Les horloges sonnaient, non l'heure, mais le glas ». Parmi les cinq sens, lequel est ici sollicité ?

3. Quel vers exprime la transformation de la guillotine ?

4. « L'astre laissait tomber sa larme de lumière. » Quelle est la figure de style employée dans cette phrase ? En quoi relève-t-elle du genre fantastique ?

5. Que devient le fer de la guillotine dans la dernière strophe ?

III. Un questionnement métaphysique sur la peine de mort

1. Relevez les deux verbes dont « je » est le sujet. Précisez leur temps et justifiez-les.

2. « Lueur mystérieuse et sacrée ; il semblait ». Découpez ce vers syllabe par syllabe. Sur quel type de vers le poème est-il construit ? Quel mot du vers est ainsi mis en valeur ? Relevez dans la même strophe un mot de la même famille.

3. « Sur la justice humaine et sur l'humaine loi ». Quelle est la particularité de la construction de ce vers ?

4. « De l'éternité calme auguste éclaboussure ». Analysez la construction de ce groupe nominal. Que désigne l'« éternité calme » ? Quelle est la connotation de cette expression ? Que désigne l'« éclaboussure » ? Sur quelle figure de style l'expression « auguste éclaboussure » est-elle construite ?

5. Qu'est-ce qui oppose les deux vers cités dans les deux questions précédentes ?

6. Expliquez le sens de ces trois questions : « Est-ce au ciel que ce fer a fait une blessure ? » / « Sur qui donc frappe l'homme hagard ? » / « Quel est donc ton mystère, ô glaive ? » À qui la dernière question s'adresse-t-elle ?

Réécriture

Réécrivez la première strophe en mettant les verbes au présent. Ne vous souciez pas de la régularité des nouveaux vers ainsi créés.

Rédaction

Choisissez un objet qui, à la manière de l'échafaud pour la peine de mort, représente un sujet qui vous indigne. Écrivez un récit à la première personne qui intègre une description précise de cet objet traduisant ce qu'il provoque en vous. Vous conclurez votre texte par des arguments exposant les raisons de votre indignation.

Petite méthode pour la rédaction

- Choisissez un objet qui représente quelque chose qui vous indigne sincèrement. Si vous n'êtes pas convaincu vous-même, vous aurez du mal à être convaincant.

- N'oubliez pas de rédiger votre récit à la première personne. N'oubliez pas non plus qu'au passé le temps du récit est distinct du temps de la description.

- Pour la partie descriptive, pensez à utiliser des verbes d'état, des adjectifs, et, afin de rendre votre texte plus expressif, n'hésitez pas à recourir à des figures de style telles que la comparaison, la métaphore, l'antithèse...

- Soignez la cohérence et la pertinence de votre argumentation.

Questions

I. Le destin tragique de Cosette

1. Dans le premier paragraphe, relevez les deux groupes nominaux qui désignent ce qu'était Cosette et ce qu'elle est devenue. À quel âge a eu lieu cette transformation ?

2. « On fit faire à Cosette les commissions, balayer les chambres, la cour, la rue, laver la vaisselle, porter même les fardeaux. » Quelle figure de style l'auteur emploie-t-il ? Dans quel but ?

3. « Cosette, si jolie et si fraîche à son arrivée dans cette maison, était devenue maigre et blême. » « L'injustice l'avait faite hargneuse et la misère l'avait rendue laide. » Dans ces deux phrases, relevez les adjectifs qualificatifs et pour chacun d'eux indiquez précisément sa fonction.

4. Dans la phrase qui commence par « c'était une chose navrante », citez les deux indicateurs temporels.

5. Quels sont les deux points communs entre l'alouette et Cosette ? Qu'est-ce qui les différencie cependant ?

II. Le regard des autres

1. « Cinq ans, dira-t-on, c'est invraisemblable. » « Dans le pays, on l'appelait l'Alouette. » Précisez pour chacune de ces phrases qui est désigné par le pronom « on ».

2. Dans la phrase qui commence par « Si cette mère était revenue », remplacez le passé antérieur par le plus-que-parfait. Faites la transformation nécessaire. Justifiez le mode et le temps du verbe que vous avez ainsi transformé.

3. Quelle justification les Thénardier se donnent-ils pour exploiter Cosette ?

4. « Elle avait je ne sais quelle allure inquiète. » Qu'est-ce qui peut expliquer une telle attitude chez Cosette ? Comment les Thénardier l'interprètent-ils ? Qu'est-ce que cela révèle de leur personnalité ?

5. En vous appuyant sur le surnom qu'il donne à Cosette, le « peuple » se fait-il une idée juste de la vie de la petite fille, selon vous ? Justifiez votre réponse.

III. Le point de vue du narrateur

1. Relevez un mot qui exprime le point de vue du narrateur dans l'un des deux premiers paragraphes. Quel sentiment traduit-il ?

2. En vous appuyant sur sa morphologie lexicale, précisez le sens et la nature grammaticale du mot « invraisemblable ». À quel autre mot s'oppose-t-il dans la suite du texte ?

3. Dans le troisième paragraphe, quel verbe marque une distance prise par le narrateur avec l'attitude des Thénardier ?

4. Au-delà des Thénardier, qu'est-ce qui est responsable, selon le narrateur, de la hargne et de la laideur de Cosette ?

5. Par quelle expression le narrateur qualifie-t-il le spectacle de Cosette au travail tôt le matin ?

6. Relevez une figure de style dans le portrait de Cosette et de son balai. Que cherche ainsi à montrer l'auteur ?

7. « ce pauvre enfant. » « Seulement la pauvre alouette ne chantait pas. » Quelles sont la fonction et la place de l'adjectif « pauvre » dans ces deux exemples ? Quel sens a-t-il donc dans ce contexte ? Quel autre sens ce mot peut-il avoir ?

Réécriture

Réécrivez la première phrase de l'extrait en remplaçant Cosette par « les filles » et en mettant le premier verbe au futur de l'indicatif. Vous veillerez à faire toutes les transformations nécessaires.

Rédaction

Imaginez que la mère de Cosette revienne plus tôt que prévu et découvre ce que les Thénardier ont fait de sa fille. Elle s'en plaint auprès d'eux et ils se défendent. Vous présenterez votre rédaction sous la forme d'un récit qui intégrera une partie dialoguée. Les dialogues devront exprimer aussi bien les sentiments des personnages que les arguments qu'ils s'opposent.

Petite méthode pour la rédaction

- Le récit devra respecter le système des temps (système du passé) et les caractéristiques des personnages du texte d'origine.
- Les dialogues seront insérés dans le récit essentiellement au style direct (guillemets et tirets, retour à la ligne pour chaque réplique, système du présent, déictiques renvoyant à la situation d'énonciation...).
- Vous devrez utiliser un registre affectif pour l'expression des sentiments (aidez-vous également de la ponctuation) et rationnel pour l'argumentation (pensez aux connecteurs logiques).

« Ô ma pauvre petite ! encore six heures, et je serai mort ! Je serai quelque chose d'immonde qui traînera sur les tables froides des amphithéâtres ; une tête qu'on moulera d'un côté, un tronc qu'on disséquera de l'autre ; puis de ce qui restera on en mettra plein une bière, et le tout ira à Clamart[1].

Voilà ce qu'ils vont faire de ton père, ces hommes dont aucun ne me hait, qui tous me plaignent et tous pourraient me sauver. Ils vont me tuer. Comprends-tu cela, Marie ? Me tuer de sang-froid, en cérémonie, pour le bien de la chose ! Ah ! grand Dieu !

Pauvre petite ! ton père qui t'aimait tant, ton père qui baisait ton petit cou blanc et parfumé, qui passait la main sans cesse dans les boucles de tes cheveux comme sur de la soie, qui prenait ton joli visage rond dans sa main, qui te faisait sauter sur ses genoux, et le soir joignait tes deux petites mains pour prier Dieu !

Qu'est-ce qui te fera tout cela maintenant ? Qui est-ce qui t'aimera ? Tous les enfants de ton âge auront des pères, excepté toi. Comment te déshabitueras-tu mon enfant, du Jour de l'An, des étrennes, des beaux joujoux, des bonbons et des baisers ? Comment te déshabitueras-tu, malheureuse orpheline, de boire et de manger ?

Oh ! si ces jurés l'avaient vue, au moins, ma jolie petite Marie ! ils auraient compris qu'il ne faut pas tuer le père d'un enfant de trois ans. »

---

1. **Clamart :** c'est au cimetière de Clamart, à côté de Paris, qu'étaient enterrés les guillotinés, depuis la Révolution française jusqu'à l'abolition de la peine de mort en 1981.

Questions

I. Les attentions d'un père

a. Quel est le destinataire de ce passage ? Est-il unique tout au long du texte ? Justifiez votre réponse en vous appuyant sur le texte.

b. Dans l'expression, « pauvre petite », précisez la fonction, la place et le sens de l'adjectif qualificatif « pauvre ». Précisez le type de phrase dans laquelle cette expression est employée à deux reprises.

c. Relevez les parties du corps évoquées dans le troisième paragraphe et rapportez-les à chacun des deux personnages concernés.

d. Relevez les allitérations dans ce passage : « des beaux joujoux, des bonbons et des baisers ».

II. La douleur d'une enfant

a. Dans le premier paragraphe, relevez les groupes nominaux qui désignent ce que deviendra le père de Marie. Quel est l'effet recherché par l'auteur selon vous ?

b. Quel est le temps utilisé dans le quatrième paragraphe ? Justifiez son emploi. Quel type de phrase est employé dans le même paragraphe ? Pourquoi ?

c. « Comment te déshabitueras-tu mon enfant, du Jour de l'An, des étrennes, des beaux joujoux, des bonbons et des baisers ? Comment te déshabitueras-tu, malheureuse orpheline, de boire et de manger ? » Quel procédé permet de passer de la première phrase à la seconde ? Dans quel but selon vous ?

III. L'argumentation contre la peine de mort

a. Dans ce texte, quelle est la principale victime de la peine de mort selon Hugo ? S'agit-il du condamné lui-même ?

b. Quel paradoxe l'auteur souligne-t-il dans le deuxième paragraphe ?

c. « Oh ! si ces jurés l'avaient vue, au moins, ma jolie petite Marie, ils auraient compris qu'il ne faut pas tuer le père d'un enfant de trois ans. » À quel temps et quel mode sont conjugués les verbes « voir » et « comprendre » ? Comment appelle-t-on l'expression d'une telle condition ? Quel reproche l'auteur adresse-t-il ainsi implicitement aux jurés ?

« Ils disent que ce n'est rien, qu'on ne souffre pas, que c'est une fin douce, que la mort de cette façon est bien simplifiée.

Eh ! qu'est-ce donc que cette agonie de six semaines et ce râle de tout un jour ? Qu'est-ce que les angoisses de cette journée irréparable, qui s'écoule si lentement et si vite ? Qu'est-ce que cette échelle de tortures qui aboutit à l'échafaud ?

Apparemment ce n'est pas là souffrir.

Ne sont-ce pas les mêmes convulsions, que le sang s'épuise goutte à goutte, ou que l'intelligence s'éteigne pensée à pensée ?

Et puis, on ne souffre pas, en sont-ils sûrs ? Qui le leur a dit ? Conte-t-on que jamais une tête coupée se soit dressée sanglante au bord du panier, et qu'elle ait crié au peuple : cela ne fait pas de mal !

Y a-t-il des morts de leur façon qui soient venus les remercier et leur dire : C'est bien inventé. Tenez-vous-en là. La mécanique est bonne... Est-ce Robespierre ? Est-ce Louis XVI ?...

Non, rien ! moins qu'une minute, moins qu'une seconde et la chose est faite. Se sont-ils jamais mis, seulement en pensée, à la place de celui qui est là, au moment où le lourd tranchant qui tombe mord la chair, rompt les nerfs, brise les vertèbres... Mais quoi ! une demi-seconde ! la douleur est escamotée... Horreur ! »

I. La thèse en faveur de la guillotine

a. Dans la première phrase, résumez la principale thèse en faveur de la guillotine.

b. Relevez dans le texte les pronoms personnels et l'adjectif possessif à la troisième personne du pluriel. À qui renvoient-ils selon vous ? Pourquoi Hugo ne les désigne-t-il pas plus précisément ?

c. Expliquez « des morts de leur façon » (aidez-vous du texte en vous appuyant sur une expression qui en est proche).

II. Les arguments de l'auteur qui s'opposent à cette thèse

a. Dans la phrase qui va de « Eh ! qu'est-ce donc que » à « qui aboutit à l'échafaud ? », relevez le champ lexical de la souffrance. De quelle nature cette souffrance est-elle ? Relevez dans la suite du texte une phrase qui évoque une souffrance de même nature. De quelle manière l'auteur s'oppose-t-il à la thèse favorable à la guillotine de la question I. a. ?

b. Résumez le deuxième argument de Hugo pour s'opposer à cette même thèse.

c. Résumez son troisième argument contre cette thèse.

III. Les moyens rhétoriques employés par l'auteur pour soutenir son argumentation

a. Dans les deuxième, quatrième, cinquième, sixième et septième paragraphes, quel est le type de phrase employé ? Dans quel but selon vous ?

b. « Apparemment ce n'est pas là souffrir » : quel défaut ce constat pointe-t-il dans le raisonnement de ceux qui sont favorables à la guillotine ?

c. « Ne sont-ce pas les mêmes convulsions, que le sang s'épuise goutte à goutte, ou que l'intelligence s'éteigne pensée à pensée ? » Quelle est la figure de style employée ? Quels sont les deux types de souffrance qu'elle met en rapport ?

d. « Conte-t-on que jamais une tête coupée se soit dressée sanglante au bord du panier, et qu'elle ait crié au peuple : cela ne fait pas de mal ! » Quelle figure de style l'auteur emploie-t-il ici ? À quel genre littéraire s'apparente-t-elle ? Dans quel but ?

e. « Y a-t-il des morts de leur façon qui soient venus les remercier et leur dire : C'est bien inventé. Tenez-vous-en là. La mécanique est bonne... » Quelle figure de style l'auteur emploie-t-il dans les propos prêtés aux condamnés une fois morts ?

f. Relevez les allitérations dans ce passage : « le lourd tranchant qui tombe mord la chair, rompt les nerfs, brise les vertèbres ».

g. « la douleur est escamotée... Horreur ! » Précisez pour chacune de ces deux assertions si elle est favorable ou hostile à la guillotine. Quelle figure de style les relie ?

Outils de lecture

Allitération : répétition des même sons-consonnes dans le passage d'un texte. Ex. : « quelque chose de sinistre et de sombre qui s'épaississait chaque jour de plus en plus sur son visage ».

Antithèse : figure de style qui repose sur l'opposition entre deux éléments. Ex. : « Claude Gueux, honnête ouvrier naguère, voleur désormais ».

Antonomase : procédé qui consiste à transformer un nom propre en nom commun ou l'inverse. Gueux est le patronyme du héros mais c'est aussi un nom commun qui désigne un miséreux.

Apologue : courte fable.

Chiasme : figure de style qui repose sur le croisement des termes. Ex. : « Sur la justice humaine et sur l'humaine loi » (extrait de *L'Échafaud*, poème de Victor Hugo).

Connotation : ensemble des sens indirects d'un énoncé en fonction du contexte.

Didascalie : partie d'un texte théâtral distincte des dialogues qui donne des indications sur le décor, les actions et les attitudes des personnages.

Ellipse : omission d'une partie d'un récit qui ne nuit pas toujours à la compréhension de celui-ci.

Énumération : procédé qui consiste à énoncer successivement différentes parties d'un ensemble à la manière d'une liste. Ex. : « Cette tête de l'homme du peuple, cultivez-la, défrichez-la, arrosez-la, fécondez-la, éclairez-la, moralisez-la, utilisez-la ».

Éponyme : se dit d'un personnage qui donne son nom au titre d'une œuvre. Claude Gueux est le personnage éponyme de la nouvelle.

Explicite : qui figure noir sur blanc dans un énoncé.

Fable : récit en vers ou en prose destiné à illustrer une morale.

Gradation : type d'énumération dans laquelle les mots ou les expressions se succèdent selon une progression de sens croissante ou décroissante. Ex. : « un jeune homme, pâle, blanc, faible ».

Homéotéleute : rime intérieure, y compris dans un texte en prose. Ex. : « L'ignor**ance** vaut encore mieux que la mauvaise science. »

Hyperbole : figure de style qui repose sur le principe de l'exagération. Ex. : « il était plus doux que jamais ».

Implicite : qui figure de manière sous-entendue dans un énoncé.

Ironie : procédé qui consiste à exprimer le contraire de ce que l'on pense, en toute complicité avec le lecteur ou l'auditeur. Ex. : « Voilà un scélérat qui partage son pain avec ceux qui ont faim ».

Métaphore : figure de style qui repose sur une comparaison sans que soit exprimé le mot-outil explicitant celle-ci. Ex. : « L'œil de l'homme est une fenêtre par laquelle on voit les pensées qui vont et viennent dans sa tête. »

Métonymie : type de métaphore consistant à exprimer une réalité par une autre qui lui est unie par une relation nécessaire. Ex. : « Quand la France saura lire ».

Oxymore : alliance de deux mots de sens contradictoire. Ex. : « auguste éclaboussure ».

Parabole : récit allégorique à connotation religieuse qui dispense un enseignement.

Parallélisme : ressemblance de construction entre deux éléments comparables. Ex. : « Ce soir je couperai ces barreaux-ci avec ces ciseaux-là. »

Péjoratif : se dit d'un énoncé qui déprécie (c'est-à-dire dit du mal de) la chose ou la personne qu'il désigne. Ex. : « un de ces hommes qui n'ont rien de vibrant ni d'élastique ».

Personnification : figure de style qui consiste à prêter à une abstraction ou à un objet inanimé une caractéristique ou un comportement humains. Ex. : « Les nations ont le crâne bien ou mal fait selon leurs institutions. »

Rhétorique : mise en œuvre de moyens d'expression dans le but de produire un effet sur l'auditeur ou le lecteur.

Bibliographie et filmographie

Autres œuvres de Victor Hugo sur des thèmes proches

Le Dernier Jour d'un condamné.

▶ Écrit cinq ans avant *Claude Gueux*, ce vibrant plaidoyer contre la peine de mort se présente sous la forme d'un journal tenu par un condamné avant son exécution.

Les Misérables.

▶ Ce roman-fleuve suit la réinsertion difficile dans la société de Jean Valjean, un ancien bagnard. Il reprend le thème de la misère et s'en prend à la peine infamante du bagne.

La Légende des siècles.

▶ Cet immense recueil de poèmes propose une épopée à travers l'histoire de l'humanité. Il contient *L'Échafaud*, le poème cité dans la rubrique « Textes et images ».

Écrits sur la peine de mort, Actes Sud, coll. Babel, 2002.

▶ Recueil de textes variés de Victor Hugo tout au long de son œuvre sur cette question.

Sur Victor Hugo

Victor Hugo par lui-même, Henri Guillemin, Seuil, coll. Écrivains de toujours, 1978.

▶ Présentation claire de la vie de l'auteur, replacée dans le contexte de son époque par un historien anticonformiste.

Victor Hugo, Danièle Gasiglia-Laster, éd. Frédéric Birr, coll. Sa vie, son œuvre, 1984.

▶ Analyse des rapports entre la vie et l'œuvre du grand écrivain par une spécialiste du sujet.

Sur la peine de mort

La Peine capitale, Albert Camus et Arthur Koestler, Calmann-Lévy, 1957.

▶ Albert Camus, l'auteur de *L'Étranger*, et Arthur Koestler, qui fut condamné à mort par les franquistes pendant la guerre d'Espagne, livrent leur réflexion passionnante sur la question.

La Peine de mort : de Voltaire à Badinter, Flammarion, coll. GF Étonnants Classiques, 2001.

▶ Ce recueil propose une compilation de réflexions sur la peine de mort d'auteurs qui vont du philosophe des Lumières cité par Hugo à la fin de *Claude Gueux* au ministre de la Justice à qui l'on doit son abolition.

Lettres de la maison de la mort, Julius et Ethel Rosenberg, Gallimard, coll. NRF, 1953.

▶ Les Rosenberg, accusés d'espionnage aux États-Unis en pleine « chasse aux sorcières », ont été exécutés sur la chaise électrique en 1953. Leur correspondance épistolaire est un bouleversant témoignage de condamnés à mort.

Autres romans du XIXᵉ siècle sur la misère

L'Assommoir, Émile Zola.

▶ Dans ce roman naturaliste, Zola cherche à « peindre la déchéance fatale d'une famille ouvrière dans le milieu empesté de nos faubourgs ».

Germinal, Émile Zola.

▶ Autre célèbre roman naturaliste de Zola. Il traite de la révolte de mineurs dans le nord de la France en pleine révolution industrielle.

Film

Douze Hommes en colère, de Sydney Lumet, avec Henry Fonda, États-Unis, 1957.

▶ Dans ce grand classique du cinéma, un seul juré d'une cour d'assises parvient à semer le doute chez les onze autres jurés qui étaient a priori favorables à l'exécution d'un accusé.

Crédits photographiques

Photocomposition : JOUVE Saran
Impression : La Tipografica Varese Srl, Varese (Italie)
Dépôt légal : février 2012 - 307892-03
N° Projet : 11029529 – octobre 2014